● Angelo Chiuchiù – Gaia Chiuchiù – Eleonora Coletti – Gézáné Doró – Katalin Doró

arte e metodo

PROVE GRADUATE DI PROFITTO
ITALIANO LS e L2

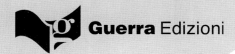

Guerra Edizioni

Angelo Chiuchiù *Direttore dell'Accademia Lingua Italiana Assisi*

Gaia Chiuchiù *Coordinatrice dei corsi, Responsabile Ricerca e Sperimentazione nei corsi principianti e intermedi, Docente dell'Accademia Lingua Italiana Assisi*

Eleonora Coletti *Responsabile Ricerca e Sperimentazione nei corsi avanzati, Docente dell'Accademia Lingua Italiana Assisi*

Gézáné Doró *Università di Szeged (Ungheria)*

Katalin Doró *Università di Szeged (Ungheria)*

I edizione
© Copyright 2005
Guerra Edizioni - Perugia

ISBN 88-7715-826-3

Gli Autori e l'Editore sono a disposizione degli aventi diritto con i quali
non è stato possibile comunicare
nonché per involontarie omissioni o
inesattezze nella citazione delle fonti
dei brani o immagini riprodotte nel
presente volume.

Guerra Edizioni
via A. Manna, 25 - Perugia (Italia)
tel. +39 075 5289090
fax +39 075 5288244
e-mail: geinfo@guerra-edizioni.com
www.guerra-edizioni.com

Progetto grafico
salt & pepper_perugia

Stampa
Guerra guru s.r.l. - Perugia

Introduzione

La raccolta di esercizi verte sulla verifica della competenza linguistica. Privilegiamo così la verifica di una sola componente delle competenze comunicative. A questo proposito vorremmo citare una parte del Common European Framework of Reference:

All human competences contribute in one way or another to the language user's ability to communicate and may be regarded as aspects of communicative competences. It may however be useful to distinguish those less closely related to language from linguistic competences more narrowly defined.

General competences: declarative knowledge; skills and know how; existential competences; ability to learn.

Communicative language competences: linguistic competences, sociolinguistic competences, pragmatic competences. (cfr. Council of Europe, Modern Languages: learning, teaching, assessment. A Common European Framework of Reference, Council of Europe Publishing Strasbourg 1998, p. 39).

Riteniamo che solo la conoscenza e l'uso delle competenze comunicative e delle competenze generali sostengono l'apprendimento armonioso di una lingua, ma siamo altrettanto certi che individuare le molte componenti che permettono di imparare/insegnare una lingua consente di operare con maggior precisione su ogni competenza, avendo chiaro l'obiettivo del lavoro, di volta in volta evidentemente parziale.

La raccolta di esercizi indaga la competenza nozionale-funzionale e la competenza linguistica nelle sottocategorie:
a) competenza lessicale
b) competenza grammaticale
c) competenza semantica

La definizione della verifica delle competenze è stata raggiunta attraverso l'analisi degli errori ricorrenti a seguito della sperimentazione presso l'Accademia Lingua Italiana Assisi (da settembre 2001 a novembre 2003 le prove sono state usate per completare la serie di esercizi che normalmente proponiamo a fine corso prima di accedere al livello successivo e durante la preparazione agli esami di certificazione) e presso l'Università di Szeged (Ungheria).

La sperimentazione dei test entro i corsi di lingua e cultura italiana dell'Accademia Lingua Italiana Assisi ha consentito di dare a questa raccolta la definizione di prove di profitto e di maturare l'invito ad utilizzarli al termine di percorsi didattici dove tutte le abilità vengono sollecitate all'interno di processi comunicativi più ampi.

Ci auguriamo pertanto di vedere utilizzati questi test per integrare prove di valutazione a conclusione di determinati percorsi didattici dove le fasi del processo comunicativo (cfr. M. A. K. Halliday, Learning how to mean. Exploration and development of language, Arnold, London 1975; D. Little, Learners autonomy: definition issues and problems, Dublin Authentic 1991) siano state le stesse fasi del percorso di apprendimento/insegnamento.

Approccio didattico

Invitiamo gli insegnanti alla scelta di un approccio comunicativo che, in un contesto di classe, segua le fasi di ogni processo di comunicazione cioè 1) **progettare**, 2) **mettere in atto**, 3) **monitorare**, 4) **valutare** la produzione, la ricezione, l'interazione e la mediazione di messaggi in situazione.

1) Al momento di progettare, si formula un'ipotesi di lavoro, nel tentativo di individuare i bisogni e le aspettative degli studenti. In questa fase un test d'ingresso e un colloquio si rendono necessari per individuare le competenze su cui è possibile costruire altro sapere. Di grande importanza a questo stadio è la valutazione di elementi quali il tempo a disposizione e il contesto in cui avviene l'apprendimento di una lingua (es. la durata del corso, delle lezioni, la conoscenza e atteggiamento da parte degli studenti verso le informazioni già acquisite).

2) Dall'ipotesi di lavoro si passa alla definizione del contenuto del corso, del programma, alla scelta dei materiali e alla gestione dei tempi e degli spazi. Il programma di lavoro metterà in atto le azioni che si ritengono utili ad accrescere il sapere degli studenti e a favorire l'apprendimento di informazioni nuove. A questo proposito siamo in linea con la definizione di René Richterich secondo cui, associando la comunicazione all'apprendimento, *un buon comunicatore è chi sa essere in grado di anticipare situazioni in cui dovrà comunicare in modo accurato e rapido, in grado di scegliere gli obiettivi e i partner giusti* (cfr. R. Richterich, Strategic competence: Acquiring Learning and communication Council of Europe Publishing, Strasbourg 1996, p. 49).

3) Il monitoraggio delle azioni didattiche e della risposta degli studenti ci permette, se necessario, di ridefinire il programma, come in un processo di comunicazione riformuliamo il nostro enunciato se ci accorgiamo di non essere stati chiari, se il nostro interlocutore era distratto o se non aveva informazioni sufficienti per comprendere il messaggio. La capacità di monitorare ci permette di adattare le nostre azioni ricettive e produttive a nuove situazioni (es. qualsiasi cambiamento nello spazio in cui si lavora: rumore, un argomento imprevisto da affrontare, la mancata ricezione di informazioni).

Richterich a proposito afferma: *Se la nostra capacità di anticipare, pianificare e fare ipotesi è sorprendente, lo è ancora di più la nostra capacità di agire in modo appropriato e istantaneo rispetto a ciò che è imprevedibile* (cfr. R. Richterich, Strategic competence: Acquiring Learning and Communication. Council of Europe Publishing, Strasbourg 1996, p. 49). In questa fase la verifica dei "risultati" è funzionale a mantenere ininterrotto il flusso di comunicazione/apprendimento. La valutazione può essere così definita formativa, poiché è finalizzata a rafforzare una fase del processo di apprendimento e a conferire consapevolezza del processo a studenti e insegnanti (cfr. D. Little, 1991).

4) Verifichiamo infine che le informazioni siano state trasmesse/recepite e che siano materia spendibile.

Proprio per questo è fondamentale la guida dell'insegnante e/o l'autovalutazione dello studente per garantire l'adeguatezza delle prove al livello. Distinguiamo così una valutazione formativa, che tiene conto delle informazioni acquisite entro un particolare percorso di apprendimento, da una valutazione sommativa, indispensabile per lo scambio di informazioni omogenee tra le varie scuole e università di vari Paesi, che per essere formale non fa riferimento a nessun programma o iter di apprendimento. Ci auguriamo che *Prove graduate di profitto* sia usato a conclusione di cicli didattici così concepiti diventando uno strumento di valutazione formativa. In questa prospettiva le griglie di autovalutazione e di controllo ci aiutano a dare un orizzonte più vasto di quello di una puntuale e accurata verifica delle sole competenze linguistiche.

Organizzazione della raccolta e assunti metodologici

Ogni sezione è preceduta da una griglia di controllo dell'autovalutazione adattata al livello delle prove che seguono e dalla griglia di autovalutazione in cui abbiamo evidenziato il grado di competenza generale e linguistica richiesto per accedere ai test. Chiediamo agli studenti o ai loro insegnanti di valutare se le abilità linguistiche integrate sono sufficienti per affrontare ogni sezione.

Oltre ad avere la funzione di guidare gli studenti verso la sezione più adatta alle proprie conoscenze, la griglia di autovalutazione ha soprattutto la funzione di mantenere ampio l'orizzonte di apprendimento e di evidenziare tutte le parti che lo compongono.

Molto spesso in prossimità di esami e test l'idea di "conoscenza" di una lingua si riduce alla capacità di trovare "le soluzioni" dimenticando che la conoscenza di una lingua corrisponde alla conoscenza e all'uso di macrofunzioni e microfunzioni. Conoscere una lingua corrisponde cioè a cosa si è in grado per esempio di descrivere, narrare, esporre, chiedere, rispondere, identificare in una determinata lingua. Ci si pone così nell'ottica di osservare cosa si è capaci di fare in una lingua e in questo modo probabilmente si diventa più consapevoli di essere all'interno di un processo in continuo cambiamento.

Prove graduate di profitto permette di verificare in itinere i progressi di uno studente e il conseguimento degli obiettivi intermedi prefissati, aiuta ad analizzare con cura minuziosa la competenza linguistica che, assieme alle competenze generali e comunicative, costituisce la materia degli esami di certificazione, definiti secondo i parametri tracciati dal Common European Framework of Reference.

Le griglie di autovalutazione vanno da A1 a C2, ma i test indagano le abilità fino al livello C1.

La possibilità di accedere alla verifica, di realizzarla in forma di autoaccertamento nella prospettiva di un'impostazione umanistico-affettiva, è di basilare importanza. Infatti elimina progressivamente la componente ansiogena (tensione, paura, mancanza di autostima) che l'esame comporta e che spesso non permette allo studente di mostrare tutta la sua preparazione.

Ogni percorso mira alla verifica della competenza linguistica (grammaticale, lessicale, semantica, nozionale-funzionale) e si basa su:
- *Il vocabolario fondamentale della lingua italiana* (G. Sciarone).
- *Il lessico di frequenza dell'italiano parlato* (T. De Mauro, F. Mancini, M. Vedovelli, M. Voghera).
- *Il livello soglia* (N. Galli de' Paratesi).

Si accerta la padronanza di microcosmi grammaticali, semantici, lessicali e funzionali attraverso percorsi diversi, griglie di items con controlli incrociati preparati in modo che la *performance* (esecuzione) riveli anche il livello di *competence* (sapere consapevole).

Si chiede di scegliere fra quattro enunciati di cui uno è giusto e gli altri sono di quasi pari valore. Si tratta in molti casi di intere frasi esatte dal punto di vista grammaticale di cui una sola può essere appropriata alla situazione di comunicazione e alle intenzioni comunicative del parlante.

Gli altri tre distraenti, comunque, contengono tutti gli elementi che, completi dal punto di vista della comunicazione, consentono la comprensione del messaggio.

Presentiamo 996 batterie per un totale di 3984 items (a scelta multipla a base 4), raccolti in 7 livelli per un totale di 16 prove graduate.

I test, sempre di tipo comunicativo, sono stati progettati e realizzati tenendo presenti le indispensabili caratteristiche di:

pertinenza: coerenza metodologica con il programma svolto o con il livello di appartenenza;

accettabilità: contenuti del test e tipologie delle prove d'esame;

economia: rapidità di correzione e modalità di fruizione, sforzo adeguato da parte dello studente; (cfr. G. Porcelli, Educazione linguistica e valutazione, Liviana Petrini, Padova, 1992).

La struttura delle prove inoltre rispetta in maniera rigorosa i principi di **validità**, **affidabilità**, **oggettività** (cfr. R. Lado, Language testing, the construction and use of foreign language testing, Longman, Londra 1961).

Per struttura e tipologia delle prove, lo stesso materiale di questo volume può essere proficuamente usato in preparazione ai test per l'ammissione di studenti stranieri in Italia ai corsi di Laurea in Lettere, Lingue, Filosofia e ai Diplomi Universitari delle aree umanistiche e sociali della comunicazione e giornalismo.

Gaia Chiuchiù

Legenda

 lessico

 grammatica

 funzioni e atti comunicativi

PROVE GRADUATE DI PROFITTO ITALIANO LS e L2   I A • I B

Le due prove di profitto, precedute dalla griglia 1 di controllo dell'autovalutazione e dalla griglia di autovalutazione, si basano su:

a) i primi 500 elementi sia del *Vocabolario fondamentale della lingua italiana* di G. Sciarone sia del *Lessico di frequenza dell'italiano parlato* di T. De Mauro, F. Mancini, M. Vedovelli, M. Voghera;

b) le funzioni e gli atti comunicativi del *Livello soglia* di N. Galli de' Paratesi;

c) i seguenti argomenti grammaticali: **presente indicativo di essere**; **presente indicativo di avere**; **presente indicativo delle tre coniugazioni con verbi regolari, irregolari e modali**; **articoli**; **nomi**; **aggettivi**; **possessivi**.

CONTROLLA COSA SAI FARE IN ITALIANO!

GRIGLIA 1 PER IL CONTROLLO DELL'AUTOVALUTAZIONE	S	N
→☺ **ASCOLTARE**		
Capisco in generale l'argomento di conversazioni che si svolgono in mia presenza purché si parli in modo lento e chiaro.		
Capisco frasi, espressioni e parole se trattano argomenti con significati molto immediati (per es.: informazioni fondamentali sulla persona, sulla famiglia oppure su acquisti, lavoro, ambiente circostante).		
☺← **LEGGERE**		
Capisco un questionario (alla frontiera o all'arrivo in albergo) abbastanza da poter dare i miei dati personali più importanti (per es.: nome e cognome, data di nascita, nazionalità).		
Capisco gli ordini più importanti di un programma informatico, come per es.: «Salva»,«Cancella», «Apri», «Chiudi».		
Capisco, in situazioni quotidiane, semplici comunicazioni scritte da conoscenti o collaboratori, per es.: «Torno alle 4».		
Capisco le informazioni più importanti da notizie o articoli di giornale ben strutturati e con molte cifre, nomi, illustrazioni e titoli.		
Capisco una semplice lettera personale, in cui qualcuno mi racconta fatti di vita quotidiana o mi fa domande su di essa.		
☺↔☺ **PARTECIPARE A UNA CONVERSAZIONE**		
Faccio domande e rispondo a domande semplici, a condizione che si tratti di qualcosa di necessario e immediato o che mi sia del tutto familiare.		
So esprimermi in maniera semplice, a condizione che l'interlocutrice/l'interlocutore sia disposta/o a ripetere certe cose in modo più lento o a riformularle diversamente.		
Quando faccio acquisti riesco e farmi capire, soprattutto quando è possibile completare quello che voglio dire con segni o gesti che si riferiscono agli oggetti in questione.		
Riesco a capire e usare abbastanza bene i numeri, le quantità, i costi e le ore.		
Riesco a chiedere o dare qualche cosa a qualcuno.		
So indicare il tempo con l'aiuto di espressioni quali «la settimana prossima», «venerdì scorso», «a novembre», «alle tre».		
So esprimere ciò che mi piace e ciò che non mi piace.		
So prendere accordi con qualcuno su che cosa fare, dove andare e concordare il luogo e l'ora dell'incontro.		
☺→ **PARLARE IN MODO COERENTE**		
So dare informazioni sulla mia persona (per es.: indirizzo, numero di telefono, nazionalità, età, famiglia e hobby, descrivere dove abito).		
So descrivere me stesso, la mia famiglia e altre persone.		
Non ho problemi a raccontare un avvenimento in modo breve e semplice.		
✏ **SCRIVERE**		
So dare informazioni sulla mia persona compilando un modulo (professione, età, domicilio, hobby).		
Sono in grado di scrivere una breve e semplice annotazione o comunicazione.		

INIZIA I TEST CHE SEGUONO SE TI RICONOSCI NELLA DESCRIZIONE EVIDENZIATA!

GRIGLIA PER L'AUTOVALUTAZIONE	A1	A2	B1
CAPIRE ASCOLTARE	Sono in grado di capire espressioni che mi sono familiari o anche frasi molto semplici, concernenti la mia persona, la famiglia, le cose concrete attorno a me, a condizione che si parli lentamente e in modo ben articolato.	Sono in grado di capire singole frasi e parole usate molto correntemente, purché si tratti di cose che sono importanti per me, ad esempio, informazioni semplici che riguardano la mia persona, la famiglia, le spese, il lavoro e l'ambiente circostante. Capisco inoltre l'essenziale di un messaggio o di un annuncio semplice, breve e chiaro.	Sono in grado di capire i punti essenziali di un discorso, a condizione che venga usata una lingua standard chiara che tratta argomenti familiari inerenti al lavoro, alla scuola, al tempo libero ecc. Sono in grado di trarre l'informazione principale da molti programmi radiofonici o televisivi su avvenimenti di attualità o su argomenti che riguardano la mia sfera professionale o di interessi, a condizione che si parli in modo articolato, relativamente lento e chiaro.
LEGGERE	Sono in grado di capire singoli nomi e parole che mi sono familiari nonché frasi molto semplici come, ad esempio, quelle sulle insegne, sui manifesti o sui cataloghi.	Sono in grado di leggere un testo molto breve e semplice, di individuare informazioni concrete e prevedibili in testi quotidiani semplici (per esempio, un annuncio, un prospetto, un menu o un orario); sono inoltre in grado di capire una lettera personale semplice e breve.	Sono in grado di capire un testo in cui si usa soprattutto un linguaggio molto corrente o relativo alla professione esercitata. Sono in grado di capire la descrizione di eventi, sentimenti e desideri in lettere personali.
PARLARE PARTECIPARE A UNA CONVERSAZIONE	Sono in grado di esprimermi in maniera semplice, a condizione che l'interlocutrice o l'interlocutore sia disposta/o a ripetere certe cose in modo più lento o riformularle diversamente aiutandomi così a formulare quello che vorrei dire. Sono in grado di rispondere a domande semplici e di porne in situazioni di necessità immediata o su argomenti che mi sono molto familiari.	Sono in grado di comunicare in una situazione semplice e abituale che consiste in uno scambio semplice e diretto di informazioni che riguardano temi e attività a me familiari. Sono in grado di gestire scambi sociali molto brevi anche se di solito non comprendo abbastanza per poter condurre personalmente la conversazione.	Sono in grado di districarmi nella maggior parte delle situazioni linguistiche riscontrate nei viaggi nella regione in cui si parla la lingua. Sono in grado di partecipare senza preparazione a una conversazione su argomenti che mi sono familiari o che riguardano i miei interessi oppure che concernono la vita di ogni giorno, come la famiglia, gli hobby, il lavoro, i viaggi o avvenimenti attuali.
PARLARE IN MODO COERENTE	Sono in grado di utilizzare espressioni e frasi semplici per descrivere le persone che conosco e dove abito.	Sono in grado di descrivere – usando una serie di frasi e con mezzi linguistici semplici – la mia famiglia, le altre persone, la mia formazione, il mio lavoro attuale o l'ultima attività svolta.	Sono in grado di parlare usando frasi semplici e coerenti per descrivere esperienze, eventi, i miei sogni, speranze o obiettivi. Sono in grado di spiegare e di motivare brevemente le mie opinioni e i miei progetti. Sono in grado di raccontare una storia oppure la trama di un libro o di un film e di descrivere le mie reazioni.
SCRIVERE SCRIVERE	Sono in grado di scrivere una cartolina semplice e breve con, p.es.: i saluti dalle vacanze. Sono inoltre in grado di compilare un modulo come, per esempio, quello degli alberghi con le mie generalità (nome, indirizzo, nazionalità ecc.).	Sono in grado di scrivere un appunto o una comunicazione breve e semplice nonché una lettera personale molto semplice, ad esempio, per porgere i miei ringraziamenti.	Sono in grado di scrivere un testo semplice e coerente su argomenti che mi sono familiari o che mi interessano personalmente nonché lettere personali riferendo esperienze e descrivendo impressioni.

B2	C1	C2	
Sono in grado di capire interventi di una certa lunghezza e conferenze seguendo anche un'argomentazione complessa, a condizione che gli argomenti mi siano abbastanza familiari. Sono in grado di capire alla televisione la maggior parte dei notiziari e dei servizi giornalistici d'attualità. Sono in grado di capire la maggior parte dei film, a condizione che si parli un linguaggio standard.	Sono in grado di seguire interventi di una certa lunghezza, anche se non sono strutturati chiaramente e anche se le relazioni contestuali non sono esposte esplicitamente. Sono in grado di capire senza grande fatica un programma televisivo o un film.	Non ho nessuna difficoltà a capire la lingua parlata sia dal vivo che dai mezzi d'informazione, anche quando si parla velocemente. Ho solo bisogno di un po' di tempo per abituarmi a un accento particolare.	
Sono in grado di leggere e di capire un articolo o un rapporto su questioni d'attualità in cui l'autrice o l'autore sostiene particolari atteggiamenti o punti di vista. Sono in grado di capire un testo letterario contemporaneo in prosa.	Sono in grado di capire un testo specialistico lungo e complesso nonché uno letterario e di percepirne le differenze stilistiche. Sono in grado di capire un articolo specialistico e istruzioni tecniche di una certa lunghezza, anche se non rientrano nel campo della mia specializzazione.	Sono in grado di capire senza sforzo praticamente tutti i tipi di testi scritti, anche se sono astratti o complessi dal punto di vista del linguaggio e del contenuto, per esempio, un manuale, un articolo specialistico o un'opera letteraria.	
Sono in grado di comunicare con un grado di scorrevolezza e spontaneità tali da permettere abbastanza facilmente una conversazione normale con un'interlocutrice o un interlocutore di lingua madre. Sono in grado di partecipare attivamente a una discussione in situazioni a me familiari e di esporre e motivare le mie opinioni.	Sono in grado di esprimermi in modo scorrevole e spontaneo, senza dare troppo spesso la chiara impressione di dover cercare le parole. Sono in grado di usare la lingua con efficacia e flessibilità nella vita sociale e professionale. Sono in grado di esprimere i miei pensieri e le mie opinioni con precisione e di associare con abilità i miei interventi con quelli di altri interlocutori.	Sono in grado di partecipare senza sforzo a qualsiasi conversazione o discussione e ho familiarità con le espressioni idiomatiche e il linguaggio corrente. Sono in grado di esprimermi correntemente e di evidenziare con precisione sfumature più sottili di senso. Quando incontro difficoltà di espressione sono in grado di riprendere e riformularla in maniera così abile che chi mi ascolta non se ne accorge.	
Sono in grado di fornire descrizioni chiare e particolareggiate su molti temi inerenti alla sfera dei miei interessi e sono inoltre in grado di commentare un punto di vista su una questione di attualità, indicando i vantaggi e gli inconvenienti delle diverse opzioni.	Sono in grado di descrivere in maniera chiara e circostanziata fatti complessi, collegandone i punti tematici, esponendo aspetti particolari e concludendo il mio contributo in modo adeguato.	Sono in grado di esporre fatti in modo chiaro, scorrevole e stilisticamente adatto alla situazione. Sono in grado di strutturare la mia presentazione in modo logico, facilitando così a chi ascolta il compito di riconoscere e di fissare nella mente i punti importanti.	
Sono in grado di scrivere testi chiari e dettagliati su numerosi argomenti inerenti alla sfera dei miei interessi e di riportare informazioni in un testo articolato o in un rapporto o di esporre gli argomenti pro e contro un determinato punto di vista. Sono in grado di scrivere lettere in cui rendo esplicito il significato personale di avvenimenti ed esperienze.	Sono in grado di esprimermi per iscritto in maniera chiara e ben strutturata nonché di esporre in modo circostanziato le mie opinioni. Sono in grado di trattare un tema complesso in una lettera, in un testo articolato o in un rapporto e di sottolineare gli aspetti che considero essenziali. Nei miei testi scritti sono in grado di scegliere lo stile che più si addice a chi legge.	Sono in grado di scrivere testi chiari, scorrevoli e stilisticamente adatti ad ogni circostanza. Sono in grado di redigere una lettera esigente, un rapporto lungo o un articolo su questioni complesse e strutturarli con chiarezza per permettere a chi legge di capire e ricordare i punti salienti. Sono in grado di riassumere e criticare per iscritto testi specialistici e letterari.	

I A

GIORNO	MESE	ANNO

1. a ☐ Aspettiamo amico americano.

   b ☐ Aspettiamo americano amico.

   c ☐ Aspettiamo un americano amico.

   d ☐ Aspettiamo un amico americano.

2. a ☐ Vedi quelle ragazze? Tutte due sono tedesche.

   b ☐ Vedi quelle ragazze? Tutte sono tedesche.

   c ☐ Vedi quelle ragazze? Tutte le due sono tedesche.

   d ☐ Vedi quelle ragazze? Tutte e due sono tedesche.

3. a ☐ Queste ragazze sono francesi.
   Io sono anche francese.

   b ☐ Queste ragazze sono francesi.
   Io sono francese anche.

   c ☐ Queste ragazze sono francesi.
   Anch'io sono francese.

   d ☐ Queste ragazze sono francese.
   Io anche sono francese.

4. Oggi abbiamo bel tempo.

   a ☐ C'è un bel sole e fa caldo.

   b ☐ È il bel sole e fa caldo.

   c ☐ È il sole e fa caldo.

   d ☐ C'è il bel sole e fa caldo.

5. a ☐ Questa ragazza ha gli occhi verdi.

   b ☐ Questa ragazza ha occhi verde.

   c ☐ Questa ragazza ha verdi occhi.

   d ☐ Questa ragazza ha i verdi occhi.

6. a ☐ I amici italiani arrivano domani sera.

   b ☐ Gli italiani amici arrivano domani sera.

   c ☐ Gli amici italiani arrivano domani sera.

   d ☐ I italiani amici arrivano domani sera.

7. a ☐ Milano e Torino sono due grande città italiane.

   b ☐ Milano e Torino sono due grandi città italiana.

   c ☐ Milano e Torino sono due grande città italiana.

   d ☐ Milano e Torino sono due grandi città italiane.

8. a ☐ Compriamo un'automobile piccola.

   b ☐ Compriamo un automobile piccola.

   c ☐ Compriamo piccolo automobile.

   d ☐ Compriamo piccola automobile.

9. a ☐ Scrivo due lunghe lettere nell'italiano.

   b ☐ Scrivo due lunghe lettere in italiano.

   c ☐ Scrivo due lunghe lettere all'italiano.

   d ☐ Scrivo due lunghe lettere dall'italiano.

10. a ☐ Qui è libro d'italiano.

    b ☐ Qui c'è un libro d'italiano.

    c ☐ Qui è un libro d'italiano.

    d ☐ Qui c'è libro d'italiano.

11. a ☐ La nostra città ha vecchia chiesa.

    b ☐ La nostra città ha chiesa vecchia.

    c ☐ La nostra città ha una vecchia chiesa.

    d ☐ La nostra città c'è una vecchia chiesa.

12. a ☐ Che cosa è sul giornale?

    b ☐ Che cosa c'è sul giornale?

    c ☐ Che cose sono sul giornale?

    d ☐ Che cose ci sono sul giornale?

13. a ☐ Noi siamo freddi, loro sono caldi.

    b ☐ Noi abbiamo freddo, loro sono caldo.

    c ☐ Noi abbiamo freddo, loro hanno caldi.

    d ☐ Noi abbiamo freddo, loro hanno caldo.

14. a ☐ Lei ha quasi sempre ragione.

    b ☐ Lei hai quasi sempre ragione.

    c ☐ Lei è quasi sempre ragione.

    d ☐ Lei sei quasi sempre ragione.

15. a ☐ Il nostro libro c'è qui, lì sono giornali.

    b ☐ Il nostro libro è qui, lì ci sono giornali.

    c ☐ Il nostro libro c'è qui, lì ci sono giornali.

    d ☐ Il nostro libro è qui, lì sono i giornali.

16. a ☐ Sua sorella è 20 anni.

    b ☐ Sua sorella ha 20 anni.

    c ☐ La sua sorella ha 20 anni.

    d ☐ La sua sorella è 20 anni.

17. Che ore sono?

    a ☐ Sono una e dieci.

    b ☐ Sono le una dieci.

    c ☐ È l'una e dieci.

    d ☐ È una ora e dieci minuti.

18. a ☐ A quali ore tornate a casa?

    b ☐ A quante ore tornate a casa?

    c ☐ A che ora tornate a casa?

    d ☐ A che ore tornate a casa?

19. a ☐ Quanto fa tre più due?

    b ☐ Quando fa tre più due?

    c ☐ Quanto fanno tre più due?

    d ☐ Come sono tre più due?

20. a ☐ Miei figli bevono solo acqua.

    b ☐ I miei figli bevono solo acqua.

    c ☐ Figli miei bevono solo acqua.

    d ☐ I miei figlii bevono solo acqua.

21. a ☐ Suo marito è giovano.

    b ☐ Il suo marito è giovane.

    c ☐ Marito suo è giovane.

    d ☐ Suo marito è giovane.

22. a ☐ I tuoi esempi sono semplici.

    b ☐ Tuoi esempi sono semplici.

    c ☐ I tuoi esempii sono semplici.

    d ☐ I tui esempii sono semplici.

23. a ☐ I ragazzi vanno a scuola a piedi.

    b ☐ I ragazzi vanno a scuola in piedi.

    c ☐ I ragazzi andano a scuola a piedi.

    d ☐ I ragazzi vadano a scuola su piedi.

24. a ☐ Noi capisciamo bene tedesco.

    b ☐ Noi capisciamo bene il tedesco.

    c ☐ Noi capiamo bene il tedesco.

    d ☐ Noi capiamo bene tedesco.

25. a ☐ Ciao, domani parto a casa tua. Va bene?

    b ☐ Ciao, domani vengo a casa tua. Va bene?

    c ☐ Ciao, domani vado a tua casa. Va bene?

    d ☐ Ciao, domani veno a casa tua. Va bene?

26. a ☐ Paghiamo due milioni di euro.

    b ☐ Pagiamo due milioni di euri.

    c ☐ Paghiamo due milione di euro.

    d ☐ Pagiamo due milioni di euro.

27. Hai il giornale di oggi?

    a ☐ No, il giornale non c'è.

    b ☐ No, il giornale non ho.

    c ☐ No, il giornale non ce l'ho.

    d ☐ No, il giornale non l'ho.

28. a ☐ Queste ragazze non escono alla sera.

    b ☐ Queste ragazze non escono nella sera.

    c ☐ Queste ragazze non uscono la sera.

    d ☐ Queste ragazze non escono la sera.

29. a ☐ Loro perché vogliono nascondere verità?

    b ☐ Loro perché volono nascondere verità?

    c ☐ Loro perché vogliono nascondere la verità?

    d ☐ Loro perché volono nascondere la verità?

30. a ☐ Il mio direttore ed io lavoriamo molto.

    b ☐ Il mio direttore ed io lavoro molto.

    c ☐ Il mio direttore ed io lavorano molto.

    d ☐ Il mio direttore ed io lavoramo molto.

31. a ☐ Io debbo andare a casa. Tu dove debbi andare?

   b ☐ Io devo andare a casa. Tu dove devi andare?

   c ☐ Io devo andare a casa. Tu dove dovi andare?

   d ☐ Io devo andare a casa. Tu devi dove andare?

32. a ☐ Arriva l'autobus e le signore salono.

   b ☐ Arriva l'autobus e le signore salgono.

   c ☐ Arriva autobus e le signore salgono.

   d ☐ Arriva l'autobus e signore salgono.

33. a ☐ Buongiorno la signora, vuole un caffè?

   b ☐ Buongiorno signora, vuoi un caffè?

   c ☐ Buongiorno la signora, vuoi un caffè?

   d ☐ Buongiorno signora, vuole un caffè?

34. a ☐ Rimangono ancora un mese in questa città.

   b ☐ Rimanono ancora un mese in questa città.

   c ☐ Rimangono ancora uno mese in questa città.

   d ☐ Rimangono ancora mese in questa città.

35. a ☐ Noi andiamo volentieri nel mare.

   b ☐ Noi vadiamo volentieri al mare.

   c ☐ Noi andiamo volentieri al mare.

   d ☐ Noi andiamo volentieri sul mare.

36. a ☐ I cinque amici partono per macchina.

   b ☐ I cinque amici partono su macchina.

   c ☐ I cinque amici partono con macchina.

   d ☐ I cinque amici partono in macchina.

37. a ☐ Vengo da Bologna. Tu da dove veni?

   b ☐ Viengo da Bologna. Tu da dove vieni?

   c ☐ Vengo da Bologna. Tu da dove vieni?

   d ☐ Vado da Bologna. Tu da dove vieni?

38. Quando andate a teatro?

   a ☐ Sì, andiamo.

   b ☐ Sì, ci andiamo.

   c ☐ Andiamo a teatro.

   d ☐ Ci andiamo domani.

39. a ☐ Quando fa dieci meno cinque?

   b ☐ Quanti fanno dieci meno cinque?

   c ☐ Quanto fa dieci meno cinque?

   d ☐ Quando fanno dieci meno cinque?

40. a ☐ I nostri professori vengono di Italia.

   b ☐ I nostri professori vengono da Italia.

   c ☐ I nostri professori vengono dall'Italia.

   d ☐ I nostri professori vengono dell' Italia.

41. A che ora tornano a casa i signori Biagi?

   a ☐ Le otto.

   b ☐ Dopo sette e mezzo.

   c ☐ Dopo le sette e un mezzo.

   d ☐ Alle otto.

42. a ☐ Proviamo rispondere bene.

   b ☐ Proviamo a rispondere bene.

   c ☐ Proviamo di rispondere bene.

   d ☐ Proviamo per rispondere bene.

43. a ☐ Noi siamo da Roma.

   b ☐ Noi siamo per Roma.

   c ☐ Noi siamo di Roma.

   d ☐ Noi siamo dalla Roma.

44. a ☐ Non è prima volta che dobbiamo parlare in italiano.

   b ☐ Non è la volta prima che dobbiamo parlare in italiano.

   c ☐ Non prima volta che dobbiamo parlare in italiano.

   d ☐ Non è la prima volta che dobbiamo parlare in italiano.

45. Come stai, Gianni?

    a ☐ Sto bene.

    b ☐ Bene, grazie, e tu?

    c ☐ Sono buono.

    d ☐ Sono bene, grazie, e tu?

46. Posso prendere questo giornale?

    a ☐ Avanti!

    b ☐ Si accomodi!

    c ☐ Prego!

    d ☐ Accomodati!

47. Perché è qui?

    a ☐ Sono qui per studiare l'italiano.

    b ☐ Qui tutti studiano l'italiano.

    c ☐ L'italiano qui è facile.

    d ☐ Qui molti parlano italiano.

48. Di dove sei?

    a ☐ Sono di Boston.

    b ☐ Sono nato a Boston.

    c ☐ Studio a Boston.

    d ☐ Preferisco studiare a Boston.

49. Arrivederci e buona giornata!

    a ☐ Grazie tante!

    b ☐ Grazie molte!

    c ☐ Grazie, altrettanto!

    d ☐ Mille grazie!

50. Dove ha il passaporto?

    a ☐ Il passaporto è a casa.

    b ☐ Il passaporto qui non è necessario.

    c ☐ Non ho qui il passaporto.

    d ☐ Ce l'ho nella borsa.

I B

GIORNO	MESE	ANNO

1.
   a ☐ Invitiamo anche uno amico italiano.
   b ☐ Invitiamo anche un'amico italiano.
   c ☐ Invitiamo anche un amico italiano.
   d ☐ Invitiamo anche amico italiano.

2.
   a ☐ Ezio ha un automobile francese.
   b ☐ Ezio ha un'automobile francese.
   c ☐ Ezio ha una francese automobile.
   d ☐ Ezio ha francese automobile.

3.
   a ☐ Devi dire la verità tutta.
   b ☐ Devi dire verità tutta.
   c ☐ Devi dire tutta verità.
   d ☐ Devi dire tutta la verità.

4.
   a ☐ Le ragazze giovani sono felice.
   b ☐ Le ragazze giovani sono felici.
   c ☐ Le ragazze giovane sono felici.
   d ☐ Le ragazze giovane sono felice.

5.
   a ☐ Questa è una grande problema.
   b ☐ Questo è grande problema.
   c ☐ Questo è un grande problema.
   d ☐ Questa è problema grande.

6.
   a ☐ In questo libro troviamo degli esempi chiari.
   b ☐ In questo libro troviamo dei esempi chiari.
   c ☐ In questo libro troviamo degli esempii chiari.
   d ☐ In questo libro troviamo dei esempii chiari.

7.
   a ☐ Che cosa c'è sul tavolo? - Non c'è niente.
   b ☐ Che cose ci sono sul banco? - Non c'è nulla.
   c ☐ Cose ci sono in terra? - Qui ci sono molti oggetti.
   d ☐ Cosa c'è nella borsa? - Qui c'è due libri.

8.
   a ☐ Puoi ripetere il tuo nome?
   b ☐ Puoi ripetere tuo nome?
   c ☐ Puoi ripetere come ti chiama?
   d ☐ Puoi ripetere suo nome?

9.
   a ☐ I bambini sono tutti fuori, dentro non è nessuno.
   b ☐ I bambini ci sono tutti fuori, dentro non è nessuno.
   c ☐ I bambini sono tutti fuori, dentro non c'è nessuno.
   d ☐ I bambini sono tutti fuori, dentro c'è nessuno.

10.
   a ☐ Conosco bene Lucia e Teresa. Tutte e due sono molto giovani.
   b ☐ Conosco bene Lucia e Teresa. Tutte due sono molto giovani.
   c ☐ Conosco bene Lucia e Teresa. Tutte sono molto giovane.
   d ☐ Conosco bene Lucia e Teresa. Tutte e due sono molto giovane.

11.
   a ☐ Questi amici hanno un cavallo. Anche voi che cosa avete?
   b ☐ Questi amici anno un cavallo. Anche voi che cosa avete?
   c ☐ Questi amici hanno un cavallo. Anche voi cosa avete?
   d ☐ Questi amici hanno un cavallo. Anche voi ce l'avete?

12. Che ora è?
   a ☐ Sono le due meno cinque.
   b ☐ Mancano due minuti a cinque.
   c ☐ Sono due meno cinque.
   d ☐ È le due meno cinque.

13.
   a ☐ A che ore cominciate a lavorare?
   b ☐ A quante ore cominciate a lavorare?
   c ☐ A che ora cominciate a lavorare?
   d ☐ Quale ora cominciate a lavorare?

14. a ☐ Suoi bambini sono 10 e 12 anni
    b ☐ Suoi bambini hanno 10 e 12 anni.
    c ☐ I suoi bambini sono 10 e 12 anni.
    d ☐ I suoi bambini hanno 10 e 12 anni.

15. a ☐ La città è antica: i sui palazzi sono belli.
    b ☐ La città è antica: suoi palazzi sono belli.
    c ☐ La città è antica: i suoi palazzi sono belli.
    d ☐ La città è antica: sui palazzi sono belli.

16. a ☐ Il marito di questa signora è italiano, loro bambini parlano anche l'italiano.
    b ☐ Il marito di questa signora è italiano, i miei bambini parlano anche l'italiano.
    c ☐ Il marito di questa signora è italiano, i suoi bambini parlano anche l'italiano.
    d ☐ Il marito di questa signora è italiano, suoi bambini parlano anche l'italiano.

17. a ☐ Oggi non possiamo chiamare nostro professore.
    b ☐ Oggi non possiamo chiamare il nostro professore.
    c ☐ Oggi non possiamo chiamare a nostro professore.
    d ☐ Oggi non possiamo chiamare al nostro professore.

18. a ☐ Mio padre abita a Verona e anche miei amici abitano lì.
    b ☐ Il mio padre abita a Verona e anche i miei amici abitano lì.
    c ☐ Mio padre abita a Verona e anche i miei amici abitano lì.
    d ☐ Il mio padre abita a Verona e anche miei amici abitano lì.

19. a ☐ Di chi è questa stanza?
    b ☐ A chi è questa stanza?
    c ☐ Di qui è questa stanza?
    d ☐ Chi è questa stanza?

20. a ☐ Noi parliamo molto, perché voi non dicete niente?
    b ☐ Noi parliamo molto, perché voi dite nulla?
    c ☐ Noi parliamo molto, perché voi dicete niente?
    d ☐ Noi parliamo molto, perché voi non dite nulla?

21. a ☐ Se volete, vengo con voi al ristorante.
    b ☐ Se volete, vado con voi al ristorante.
    c ☐ Se volete, vengo con voi in ristorante.
    d ☐ Se volete, vado con voi in ristorante.

22. a ☐ I professori possono avere sempre non ragione.
    b ☐ I professori non possono avere sempre ragione.
    c ☐ I professori non possono essere sempre ragione.
    d ☐ Non possono i professori essere sempre ragione.

23. a ☐ Doviamo chiudere la finestra.
    b ☐ Debbiamo chiudere la finestra.
    c ☐ Dobbiamo chiudere la finestra.
    d ☐ Deviamo chiudere la finestra.

24. Hai il nuovo libro d'italiano?
    a ☐ Sì, l'ho.
    b ☐ Sì, ho.
    c ☐ Sì, ce lo.
    d ☐ Sì, ce l'ho.

25. a ☐ Noi voliamo partire con loro per Milano.
    b ☐ Noi vogliamo partire con loro a Milano.
    c ☐ Noi vogliamo partire con loro per Milano.
    d ☐ Noi voliamo partire con loro in Milano.

26. a ☐ Non devi superare quella macchina.
    b ☐ Non debbi superare quella macchina.
    c ☐ Non dovi superare quella macchina.
    d ☐ Devi non superare quella macchina.

27. a ☐ Oggi uscono o stanno a casa?
    b ☐ Oggi escono o stano a casa?
    c ☐ Oggi escono o stanno a casa?
    d ☐ Oggi uscono o stano a casa?

28. a ☐ Ogni giorno leggete giornale francese.
    b ☐ Ogni giorno leggete francese giornale.
    c ☐ Ogni giorno leggete un giornale francese.
    d ☐ Ogni giorno leggete un francese giornale.

29. a ☐ Loro rimangono in città già tre giorni.
       E tu, quanto tempo rimani?
    b ☐ Loro rimangono in città ancora tre giorni.
       E tu, quanto tempo rimangi?
    c ☐ Loro rimangono in città ancora tre giorni.
       E tu, quanto tempo rimani?
    d ☐ Loro rimanono in città già tre giorni.
       E tu, quanto tempo rimani?

30. a ☐ Io usco alle due, voi uscite alle tre.
    b ☐ Io uscisco alle due, voi uscite alle tre.
    c ☐ Io esco alle due, voi escite alle tre.
    d ☐ Io esco alle due, voi uscite alle tre.

31. a ☐ Vengono di Londra in macchina.
    b ☐ Vengono dalla Londra con macchina.
    c ☐ Vengono da Londra in macchina.
    d ☐ Vengono da Londra per macchina.

32. a ☐ Siamo a Italia in vacanza.
    b ☐ Siamo nell'Italia in vacanza.
    c ☐ Siamo su Italia in vacanza.
    d ☐ Siamo in Italia in vacanza.

33. a ☐ Se per tu va bene, partiamo domani.
    b ☐ Se per tu vai bene, partiamo domani.
    c ☐ Se per te vai bene, partiamo domani.
    d ☐ Se per te va bene, partiamo domani.

34. a ☐ Domani mattina Fabio vuole andare da sua madre.
    b ☐ Domani mattina Fabio vuole andare a sua madre.
    c ☐ Domani mattina Fabio vuole andare dalla sua madre.
    d ☐ Domani mattina Fabio vuole andare alla sua madre.

35. a ☐ Questi signori sono ricchi. Due e tutti sono ministri.
    b ☐ Questi signori sono ricchi. Tutti e due sono ministri.
    c ☐ Questi signori sono ricchi. Tutti due sono ministri.
    d ☐ Questi signori sono ricchi. Tutti sono due ministri.

36. a ☐ Perché vai Genova?
    b ☐ Perché vai in Genova?
    c ☐ Perché vai per Genova?
    d ☐ Perché vai a Genova?

37. a ☐ Per voi andate bene se mangiamo subito?
    b ☐ Per voi va bene se mangiamo subito?
    c ☐ Per vi va bene se mangiamo subito?
    d ☐ Per voi andiamo bene se mangiamo subito?

38. a ☐ Da dove arrivano loro?
    b ☐ Di dove arrivano loro?
    c ☐ In dove arrivano loro?
    d ☐ A dove arrivano loro?

39. A che ora vai a scuola?
    a ☐ Sì, ci vado.
    b ☐ Sì, vado.
    c ☐ Ci vado alle 9.
    d ☐ Vado alle 9.

40. a ☐ Cinque a due fa dieci.
    b ☐ Cinque con due fa dieci.
    c ☐ Cinque da due fa dieci.
    d ☐ Cinque per due fa dieci.

41. a ☐ Paola è una bella ragazza dei 18 anni.
    b ☐ Paola è una bella ragazza di 18 anni.
    c ☐ Paola è una bella ragazza da 18 anni.
    d ☐ Paola è una bella ragazza con 18 anni.

42. a ☐ Gli amici vivono in questa città da tre anni.

 b ☐ Gli amici vivono in questa città in tre anni.

 c ☐ Gli amici vivono in questa città di tre anni.

 d ☐ Gli amici vivono in questa città tra tre anni.

43. a ☐ Questi che cosa sono? - Sono fogli ultimi del romanzo.

 b ☐ Questi che cose sono? - Sono ultimi fogli del romanzo.

 c ☐ Questi che cose sono? - Sono gli ultimi fogli del romanzo.

 d ☐ Questi che cosa sono? - Sono gli ultimi fogli del romanzo.

44. a ☐ Sono le dieci di sera. Su! Finiamo lavorare.

 b ☐ Sono le dieci di sera. Su! Finiamo a lavorare.

 c ☐ Sono le dieci di sera. Su! Finiamo di lavorare.

 d ☐ Sono le dieci di sera. Su! Finisciamo di lavorare.

45. a ☐ È la volta seconda che siamo in Italia.

 b ☐ È la seconda volta che siamo in Italia.

 c ☐ Seconda volta che siamo in Italia.

 d ☐ Sono seconda volta che siamo in Italia.

funzioni e atti comunicativi

46. Quando ci vediamo?

 a ☐ Sì, ci vediamo per andare al cinema.

 b ☐ Sì, vediamo tutto bene.

 c ☐ Ci vediamo domani alle nove.

 d ☐ Ci vediamo al bar.

47. Dove avete il libro?

 a ☐ Sì, ce l'abbiamo a casa.

 b ☐ A casa leggiamo il libro.

 c ☐ In classe usiamo il libro.

 d ☐ Ce l'abbiamo a casa.

48. Da dove viene Paolo?

 a ☐ Lui viene da Venezia.

 b ☐ Lei viene da Venezia.

 c ☐ Lui viene di Venezia.

 d ☐ Lui viene a Venezia.

49. Dove è tua sorella?

 a ☐ È a Italia.

 b ☐ È in Italia.

 c ☐ È per Italia.

 d ☐ È di Italia.

50. Buongiorno ragazzi, come va?

 a ☐ Va bene!

 b ☐ Va bene, grazie, e Lei?

 c ☐ Andiamo bene.

 d ☐ Andiamo bene, grazie.

PROVE GRADUATE DI PROFITTO ITALIANO LS e L2   II A · II B

Le due prove di profitto, precedute dalla griglia 2 di controllo dell'autovalutazione e dalla griglia di autovalutazione, si basano su:

a) i primi 1000 elementi sia del *Vocabolario fondamentale della lingua italiana* di G. Sciarone sia del *Lessico di frequenza dell'italiano parlato* di T. De Mauro, F. Mancini, M. Vedovelli, M. Voghera;

b) le funzioni e gli atti comunicativi del *Livello soglia* di N. Galli de' Paratesi;

c) i seguenti argomenti grammaticali: **passato prossimo nelle forme regolari e irregolari**; **futuro semplice e anteriore nelle forme regolari e irregolari**; **riflessivi pronominali e reciproci**; **pronomi diretti nei tempi semplici**; **pronome partitivo ne**.

CONTROLLA COSA SAI FARE IN ITALIANO!

GRIGLIA 2 PER IL CONTROLLO DELL'AUTOVALUTAZIONE	S	N
→😊 ASCOLTARE		
Capisco quello che mi viene detto in modo lento e chiaro durante una semplice conversazione quotidiana, soprattutto se chi parla mi aiuta.		
Individuo in generale l'argomento di conversazioni che si svolgono in mia presenza purché si parli in modo lento e chiaro.		
Capisco l'essenziale di un annuncio o di un messaggio breve, semplice e chiaro.		
So ricavare le informazioni essenziali da brevi registrazioni audio parlate in modo lento e chiaro su argomenti quotidiani e prevedibili.		
Riesco ad afferrare l'informazione essenziale da notizie su avvenimenti, incidenti ecc., trasmessi dalla televisione, se il commento è accompagnato da immagini.		
😊← LEGGERE		
Capisco le informazioni importanti da notizie o articoli di giornale ben strutturati e con molte cifre, nomi, illustrazioni e titoli.		
Capisco una semplice lettera personale, in cui qualcuno mi racconta fatti di vita quotidiana o mi fa domande su di essa.		
Capisco semplici comunicazioni scritte (per es., quando ci si incontra per la partita oppure di arrivare in anticipo al lavoro).		
Capisco le informazioni più importanti da foglietti illustrativi (volantini) su attività del tempo libero, esposizioni, ecc.		
Trovo velocemente in un giornale la rubrica desiderata, le informazioni volute (per es.: dimensioni e prezzo di un appartamento, di un'auto, di un computer).		
Capisco semplici istruzioni d'uso di apparecchi (per es.: per il telefono pubblico).		
Capisco ordini e semplici comunicazioni di programmi informatici.		
Capisco brevi racconti che parlano di cose quotidiane e temi a me noti, se scritti in maniera semplice.		
😊↔😊 PARTECIPARE A UNA CONVERSAZIONE		
So dire cosa mi piace e cosa non mi piace.		
So prendere accordi con qualcuno su cosa fare, dove andare e concordare il luogo e l'ora dell'incontro.		
Mi esprimo in maniera semplice, a condizione che l'interlocutrice/l'interlocutore sia disposta/o a ripetere certe cose in modo più lento o a riformularle diversamente, aiutandomi così a esprimere quello che vorrei dire.		
Riesco a fare acquisti semplici, quando è possibile completare quello che voglio dire con segni o gesti che si riferiscono agli oggetti in questione.		
Riesco ad indicare abbastanza bene le quantità, i costi e le ore.		
So fare domande personali a qualcuno (per es.: il domicilio, le persone che conosce e gli oggetti che possiede) e so rispondere allo stesso tipo di domande se vengono formulate in modo lento e chiaro.		
So indicare il tempo con l'aiuto di espressioni quali «la settimana prossima», «venerdì scorso», «a novembre», «alle tre».		
😊→ PARLARE IN MODO COERENTE		
So descrivere me stesso, la mia famiglia e altre persone.		
So descrivere dove abito.		
So descrivere la mia formazione, il mio lavoro attuale o l'ultima attività svolta.		
So descrivere in maniera semplice i miei hobby e i miei interessi.		
So parlare delle attività svolte e di esperienze personali (per es.: l'ultimo fine settimana, le mie ultime vacanze).		
✍ SCRIVERE		
So scrivere una breve e semplice annotazione o comunicazione.		
So descrivere, con frasi semplici, un evento e dire che cosa, quando e dove è capitato (per es.: una festa, un incidente).		
So scrivere, con frasi ed espressioni semplici, di aspetti di vita quotidiana (persone, luoghi, lavoro, scuola, famiglia, hobby).		
So fornire, su un questionario, informazioni sulla mia persona, sul lavoro, sui miei interessi e su conoscenze particolari.		
Mi so presentare brevemente in una lettera con frasi ed espressioni semplici (famiglia, scuola, lavoro, hobby).		
So usare in una lettera breve semplici formule di saluto, formule di inizio, modi di dire per ringraziare o chiedere qualcosa.		

INIZIA I TEST CHE SEGUONO SE TI RICONOSCI NELLA DESCRIZIONE EVIDENZIATA!

GRIGLIA PER L'AUTOVALUTAZIONE	A1	A2	B1
CAPIRE ASCOLTARE	Sono in grado di capire espressioni che mi sono familiari o anche frasi molto semplici, concernenti la mia persona, la famiglia, le cose concrete attorno a me, a condizione che si parli lentamente e in modo ben articolato.	Sono in grado di capire singole frasi e parole usate molto correntemente, purché si tratti di cose che sono importanti per me, ad esempio, informazioni semplici che riguardano la mia persona, la famiglia, le spese, il lavoro e l'ambiente circostante. Capisco inoltre l'essenziale di un messaggio o di un annuncio semplice, breve e chiaro.	Sono in grado di capire i punti essenziali di un discorso, a condizione che venga usata una lingua standard chiara che tratta argomenti familiari inerenti al lavoro, alla scuola, al tempo libero ecc. Sono in grado di trarre l'informazione principale da molti programmi radiofonici o televisivi su avvenimenti di attualità o su argomenti che riguardano la mia sfera professionale o di interessi, a condizione che si parli in modo articolato, relativamente lento e chiaro.
LEGGERE	Sono in grado di capire singoli nomi e parole che mi sono familiari nonché frasi molto semplici come, ad esempio, quelle sulle insegne, sui manifesti o sui cataloghi.	Sono in grado di leggere un testo molto breve e semplice, di individuare informazioni concrete e prevedibili in testi quotidiani semplici (per esempio, un annuncio, un prospetto, un menu o un orario); sono inoltre in grado di capire una lettera personale semplice e breve.	Sono in grado di capire un testo in cui si usa soprattutto un linguaggio molto corrente o relativo alla professione esercitata. Sono in grado di capire la descrizione di eventi, sentimenti e desideri in lettere personali.
PARLARE PARTECIPARE A UNA CONVERSAZIONE	Sono in grado di esprimermi in maniera semplice, a condizione che l'interlocutrice o l'interlocutore sia disposta/o a ripetere certe cose in modo più lento o riformularle diversamente aiutandomi così a formulare quello che vorrei dire. Sono in grado di rispondere a domande semplici e di porne in situazioni di necessità immediata o su argomenti che mi sono molto familiari.	Sono in grado di comunicare in una situazione semplice e abituale che consiste in uno scambio semplice e diretto di informazioni che riguardano temi e attività a me familiari. Sono in grado di gestire scambi sociali molto brevi anche se di solito non comprendo abbastanza per poter condurre personalmente la conversazione.	Sono in grado di districarmi nella maggior parte delle situazioni linguistiche riscontrate nei viaggi nella regione in cui si parla la lingua. Sono in grado di partecipare senza preparazione a una conversazione su argomenti che mi sono familiari o che riguardano i miei interessi oppure che concernono la vita di ogni giorno, come la famiglia, gli hobby, il lavoro, i viaggi o avvenimenti attuali.
PARLARE IN MODO COERENTE	Sono in grado di utilizzare espressioni e frasi semplici per descrivere le persone che conosco e dove abito.	Sono in grado di descrivere – usando una serie di frasi e con mezzi linguistici semplici – la mia famiglia, le altre persone, la mia formazione, il mio lavoro attuale o l'ultima attività svolta.	Sono in grado di parlare usando frasi semplici e coerenti per descrivere esperienze, eventi, i miei sogni, speranze o obiettivi. Sono in grado di spiegare e di motivare brevemente le mie opinioni e i miei progetti. Sono in grado di raccontare una storia oppure la trama di un libro o di un film e di descrivere le mie reazioni.
SCRIVERE SCRIVERE	Sono in grado di scrivere una cartolina semplice e breve con, p.es.: i saluti dalle vacanze. Sono inoltre in grado di compilare un modulo come, per esempio, quello degli alberghi con le mie generalità (nome, indirizzo, nazionalità ecc.).	Sono in grado di scrivere un appunto o una comunicazione breve e semplice nonché una lettera personale molto semplice, ad esempio, per porgere i miei ringraziamenti.	Sono in grado di scrivere un testo semplice e coerente su argomenti che mi sono familiari o che mi interessano personalmente nonché lettere personali riferendo esperienze e descrivendo impressioni.

B2	C1	C2
Sono in grado di capire interventi di una certa lunghezza e conferenze seguendo anche un'argomentazione complessa, a condizione che gli argomenti mi siano abbastanza familiari. Sono in grado di capire alla televisione la maggior parte dei notiziari e dei servizi giornalistici d'attualità. Sono in grado di capire la maggior parte dei film, a condizione che si parli un linguaggio standard.	Sono in grado di seguire interventi di una certa lunghezza, anche se non sono strutturati chiaramente e anche se le relazioni contestuali non sono esposte esplicitamente. Sono in grado di capire senza grande fatica un programma televisivo o un film.	Non ho nessuna difficoltà a capire la lingua parlata sia dal vivo che dai mezzi d'informazione, anche quando si parla velocemente. Ho solo bisogno di un po' di tempo per abituarmi a un accento particolare.
Sono in grado di leggere e di capire un articolo o un rapporto su questioni d'attualità in cui l'autrice o l'autore sostiene particolari atteggiamenti o punti di vista. Sono in grado di capire un testo letterario contemporaneo in prosa.	Sono in grado di capire un testo specialistico lungo e complesso nonché uno letterario e di percepirne le differenze stilistiche. Sono in grado di capire un articolo specialistico e istruzioni tecniche di una certa lunghezza, anche se non rientrano nel campo della mia specializzazione.	Sono in grado di capire senza sforzo praticamente tutti i tipi di testi scritti, anche se sono astratti o complessi dal punto di vista del linguaggio e del contenuto, per esempio, un manuale, un articolo specialistico o un'opera letteraria.
Sono in grado di comunicare con un grado di scorrevolezza e spontaneità tali da permettere abbastanza facilmente una conversazione normale con un'interlocutrice o un interlocutore di lingua madre. Sono in grado di partecipare attivamente a una discussione in situazioni a me familiari e di esporre e motivare le mie opinioni.	Sono in grado di esprimermi in modo scorrevole e spontaneo, senza dare troppo spesso la chiara impressione di dover cercare le parole. Sono in grado di usare la lingua con efficacia e flessibilità nella vita sociale e professionale. Sono in grado di esprimere i miei pensieri e le mie opinioni con precisione e di associare con abilità i miei interventi con quelli di altri interlocutori.	Sono in grado di partecipare senza sforzo a qualsiasi conversazione o discussione e ho familiarità con le espressioni idiomatiche e il linguaggio corrente. Sono in grado di esprimermi correntemente e di evidenziare con precisione sfumature più sottili di senso. Quando incontro difficoltà di espressione sono in grado di riprendere e riformularla in maniera così abile che chi mi ascolta non se ne accorge.
Sono in grado di fornire descrizioni chiare e particolareggiate su molti temi inerenti alla sfera dei miei interessi e sono inoltre in grado di commentare un punto di vista su una questione di attualità, indicando i vantaggi e gli inconvenienti delle diverse opzioni.	Sono in grado di descrivere in maniera chiara e circostanziata fatti complessi, collegandone i punti tematici, esponendo aspetti particolari e concludendo il mio contributo in modo adeguato.	Sono in grado di esporre fatti in modo chiaro, scorrevole e stilisticamente adatto alla situazione. Sono in grado di strutturare la mia presentazione in modo logico, facilitando così a chi ascolta il compito di riconoscere e di fissare nella mente i punti importanti.
Sono in grado di scrivere testi chiari e dettagliati su numerosi argomenti inerenti alla sfera dei miei interessi e di riportare informazioni in un testo articolato o in un rapporto o di esporre gli argomenti pro e contro un determinato punto di vista. Sono in grado di scrivere lettere in cui rendo esplicito il significato personale di avvenimenti ed esperienze.	Sono in grado di esprimermi per iscritto in maniera chiara e ben strutturata nonché di esporre in modo circostanziato le mie opinioni. Sono in grado di trattare un tema complesso in una lettera, in un testo articolato o in un rapporto e di sottolineare gli aspetti che considero essenziali. Nei miei testi scritti sono in grado di scegliere lo stile che più si addice a chi legge.	Sono in grado di scrivere testi chiari, scorrevoli e stilisticamente adatti ad ogni circostanza. Sono in grado di redigere una lettera esigente, un rapporto lungo o un articolo su questioni complesse e strutturarli con chiarezza per permettere a chi legge di capire e ricordare i punti salienti. Sono in grado di riassumere e criticare per iscritto testi specialistici e letterari.

II A

GIORNO	MESE	ANNO

1. a ☐ Voglio imparare bene lingua italiana.
    b ☐ Voglio imparare bene l'italiano.
    c ☐ Voglio imparare bene italiano.
    d ☐ Voglio imparare bene la italiana lingua.

2. a ☐ In questa città i alberghi sono molto cari.
    b ☐ In questa città alberghi sono molto cari.
    c ☐ In questa città gli alberghi sono molto cari.
    d ☐ In questa città gli albergi sono molto cari.

3. a ☐ Suo zio abita a Roma, i miei abitano a Padova.
    b ☐ Il suo zio abita a Roma, miei abitano a Padova.
    c ☐ Suo zio abita a Roma, miei abitano a Padova.
    d ☐ Il suo zio abita a Roma, i miei abitano a Padova.

4. a ☐ Oggi qualche studente è arrivato in ritardo.
    b ☐ Oggi qualche studenti sono arrivati in ritardo.
    c ☐ Oggi qualche studente è arrivata in ritardo.
    d ☐ Oggi qualche studente ha arrivato in ritardo.

5. a ☐ L'italiano film è famoso nel mondo.
    b ☐ I filmi italiani sono famosi nel mondo.
    c ☐ I film italiani sono famosi nel mondo.
    d ☐ Gli italiani film sono famosi nel mondo.

6. a ☐ Perché mi avete niente raccontato?
    b ☐ Perché niente mi avete raccontato?
    c ☐ Perché non mi avete raccontato niente?
    d ☐ Perché mi avete raccontato nulla?

7. a ☐ Siamo arrivati solo da pochi minuti.
    b ☐ Siamo solo arrivato da pochi minuti.
    c ☐ Siamo soli arrivati da pochi minuti.
    d ☐ Siamo sole arrivate da pochi minuti.

8. a ☐ Hanno incontrato numerosa difficoltà durante il viaggio.
    b ☐ Hanno incontrato numerose difficoltà durante il viaggio.
    c ☐ Sono incontrate numerose difficoltà durante il viaggio.
    d ☐ Sono incontrato numerosi difficoltà durante il viaggio.

9. a ☐ Qualche volta giocheremo a carte insieme.
    b ☐ Qualche volte giocheremo a carte insieme.
    c ☐ Qualche volta giocaremo a carte insieme.
    d ☐ Qualche volte giocheremo con carte insieme.

10. a ☐ Vogliamo mangiare qualcosa speciale stasera.
    b ☐ Vogliamo mangiare una qualcosa speciale stasera.
    c ☐ Vogliamo mangiare qualcosa di speciale stasera.
    d ☐ Vogliamo mangiare una qualcosa di speciale stasera.

11. Quante pagine ci sono in questi libri?
    a ☐ Ne sono tante.
    b ☐ Ce ne sono tante.
    c ☐ Ci ne sono tante.
    d ☐ Ci sono tante.

12. a ☐ Hanno vivuto quasi un anno all'estero.
    b ☐ Hanno vissuto quasi un anno all'estero.
    c ☐ Sono vissuti quasi anno all'estero.
    d ☐ Sono vissute quasi l'anno all'estero.

13. a ☐ Finalmente hanno vinto nostri ragazzi.
    b ☐ Finalmente hanno vinciuto i nostri ragazzi.
    c ☐ Finalmente hanno vinto i nostri ragazzi.
    d ☐ Finalmente hanno vincuto i nostri ragazzi.

14. a ☐ Abbiamo spento la luce solo dopo le dieci.
    b ☐ Abbiamo spegnuto la luce solo dopo le dieci.
    c ☐ Abbiamo spenta la luce solo dopo le dieci.
    d ☐ Abbiamo spenguto la luce solo dopo le dieci.

15. a ☐ Hanno mettuto in ordine la loro stanza.

b ☐ Hanno messa in ordine la loro stanza.

c ☐ Hanno messo in ordine la loro stanza.

d ☐ Hanno meso in ordine la loro stanza.

16. a ☐ Noi siamo cominciati questo lavoro due mesi fa.

b ☐ Noi siamo cominciato questo lavoro due mesi fa.

c ☐ Noi abbiamo cominciato questo lavoro due mesi fa.

d ☐ Noi siamo cominciate questo lavoro due mesi fa.

17. a ☐ Fino a che ore avete dormito?

b ☐ Fino a quali ora avete dormito?

c ☐ Fino a che ora avete dormito?

d ☐ Fino a quale ore avete dormito?

18. a ☐ Ieri abbiamo chiesto un consiglio il professore.

b ☐ Ieri abbiamo chieduto un consiglio al professore.

c ☐ Ieri abbiamo chiesto un consiglio al professore.

d ☐ Ieri abbiamo chiesto un consiglio con il professore.

19. a ☐ Ragazzi, perché avete aperte le finestre?

b ☐ Ragazzi, perché avete aprito le finestre?

c ☐ Ragazzi, perché avete aprite le finestre?

d ☐ Ragazzi, perché avete aperto le finestre?

20. a ☐ Quanto tempo hanno rimanuto i suoi amici in Italia l'anno scorso?

b ☐ Quanto tempo sono rimasti i suoi amici in Italia l'anno scorso?

c ☐ Quanto tempo hanno rimasto i suoi amici in Italia l'anno scorso?

d ☐ Quanto tempo sono rimanuti i suoi amici in Italia l'anno scorso?

21. a ☐ La prossima volta aiuteremo tutti gli amici.

b ☐ La prossima volta aiutaremo tutti gli amici.

c ☐ La prossima volta aiuteremo tutti amici.

d ☐ La prossima volta aiuteremo amici tutti.

22. a ☐ Cerceranno un buon albergo dopo che saranno arrivati.

b ☐ Cercaranno un buon albergo dopo che saranno arrivati.

c ☐ Cercheranno buon albergo dopo che saranno arrivati.

d ☐ Cercheranno un buon albergo dopo che saranno arrivati.

23. a ☐ Prima compreranno una nuova macchina, poi partiranno per un lungo viaggio.

b ☐ Prima compraranno una nuova macchina, poi partiranno per un lungo viaggio.

c ☐ Prima compreranno una nuova macchina, poi saranno partiti per un lungo viaggio.

d ☐ Prima compraranno una nuova macchina, poi partirano per un lungo viaggio.

24. Quanti ragazzi ci sono nella tua classe?

a ☐ Ci sono parecchi.

b ☐ Ci ne sono parecchi.

c ☐ Ce ne sono parecchi.

d ☐ Ce ne sono parecchii.

25. A chi vuoi mandare i fiori?

a ☐ Voglio mandarli a mia madre.

b ☐ Voglio mandare a mia madre.

c ☐ Voglio mandarli alla mia madre.

d ☐ Li voglio mandare alla mia madre.

26. a ☐ Se mangiaremo al ristorante, pago io il conto.

b ☐ Se mangieremo al ristorante, pagherò io il conto.

c ☐ Se mangeremo al ristorante, pagarò io il conto.

d ☐ Se mangeremo al ristorante, pagherò io il conto.

27. a ☐ Sabato gli azzurri giocaranno contro i tedeschi.

b ☐ Sabato gli azzurri giocerano contro i tedeschi.

c ☐ Sabato gli azzurri giocheranno contro i tedeschi.

d ☐ Sabato gli azzurri giocherano contro i tedeschi.

28. a ☐ Franco ed io ci siamo incontrati fra tre giorni.

   b ☐ Franco ed io ci incontreremo fra tre giorni.

   c ☐ Franco ed io incontro fra tre giorni.

   d ☐ Franco ed io mi incontrerò fra tre giorni.

29. a ☐ Stamattina siamo svegliati troppo tardi.

   b ☐ Stamattina ci abbiamo svegliati troppo tardi.

   c ☐ Stamattina ci abbiamo svegliato troppo tardi.

   d ☐ Stamattina ci siamo svegliati troppo tardi.

30. Quante università ci sono nel tuo Paese?

   a ☐ Ce ne sono molte.

   b ☐ Ci sono molte.

   c ☐ Molte ci sono.

   d ☐ Ci ne sono molte.

31. Puoi portare il cane fuori?

   a ☐ No, ora non lo posso portare.

   b ☐ No, ora non posso portarlo.

   c ☐ No, ora non ce lo posso portare.

   d ☐ No, ora non celo posso portare.

32. Quanti alberi ci sono nel loro giardino?

   a ☐ Alcuni ci sono.

   b ☐ Ce ne sono alcuni.

   c ☐ Alcuni ce ne sono.

   d ☐ Ne sono alcuni.

33. A chi dovrai raccontare questa storia?

   a ☐ Dovrò raccontarla a mio marito.

   b ☐ Dovrò raccontare a mio marito.

   c ☐ La dovrò raccontare al mio marito.

   d ☐ Dovrò raccontarla al mio marito.

34. Ci sono molte chiese in questa città?

   a ☐ Sì, ce ne sono alcune.

   b ☐ Sì, ce ne è alcuna.

   c ☐ Sì, alcune ce ne sono.

   d ☐ Sì, alcuna ce n'è.

35. a ☐ Vieni con noi o preferisci rimanere dalla tua sorella?

   b ☐ Vieni con noi o preferisci rimanere alla tua sorella?

   c ☐ Vieni con noi o preferisci rimanere da tua sorella?

   d ☐ Vieni da noi o preferisci rimanere a tua sorella?

36. a ☐ Nel mese del gennaio fa sempre freddo nel mio Paese.

   b ☐ Nel mese gennaio fa sempre freddo nel mio Paese.

   c ☐ Nel mese di gennaio fa sempre freddo nel mio Paese.

   d ☐ In mese gennaio fa sempre freddo nel mio Paese.

37. a ☐ In agosto saremo liberi e faremo qualche viaggio.

   b ☐ Di agosto saremo liberi e faremo qualche viaggio.

   c ☐ Nell'agosto saremo liberi e faremo qualche viaggio.

   d ☐ All'agosto saremo liberi e faremo qualche viaggio.

38. a ☐ Non siamo stanchi, abbiamo dormito fino a dieci.

   b ☐ Non siamo stanchi, abbiamo dormito fino dieci.

   c ☐ Non siamo stanchi, abbiamo dormito alle dieci.

   d ☐ Non siamo stanchi, abbiamo dormito fino alle dieci.

39. a ☐ Di solito passo le feste con la famiglia.

   b ☐ Solito passo le feste con la famiglia.

   c ☐ In solito passo le feste con la famiglia.

   d ☐ A solito passo le feste con la famiglia.

40. a ☐ Appena arrivati, abbiamo fatto un giro nel centro storico.

   b ☐ Dopo arrivati, abbiamo fatto un giro nel centro storico.

   c ☐ Se arrivati, abbiamo fatto un giro nel centro storico.

   d ☐ Solo arrivati, abbiamo fatto un giro nel centro storico.

41. a ☐ Speriamo che riusciranno a venire da noi fra qualche giorno.
    b ☐ Speriamo che riusciranno a venire da noi a un giorno.
    c ☐ Speriamo che riusciranno a venire da noi da un giorno.
    d ☐ Speriamo che riusciranno a venire da noi fra giorno.

42. a ☐ Quanto tempo resterete dal vecchio zio?
    a ☐ Quanti tempi resterete dal vecchio zio?
    c ☐ Per quanti tempi resterete dal vecchio zio?
    d ☐ A quanto tempo resterete dal vecchio zio?

43. a ☐ Abbiamo dovuti partire subito.
    b ☐ Siamo dovuti partire subito.
    c ☐ Siamo dovuto partire subito.
    d ☐ Siamo devuti partire subito.

44. a ☐ Voglio invitarti in una festa.
    b ☐ Voglio invitarti ad una festa.
    c ☐ Ti voglio invitarti ad una festa.
    d ☐ Ti voglio invitare in una festa.

45. a ☐ Dove lavorerai dopo che finirai l'università?
    b ☐ Dove lavori dopo che avrai finito l'università?
    c ☐ Dove lavorerai dopo che avrai finito l'università?
    d ☐ Dove avrai lavorato dopo che avrai finito l'università?

46. a ☐ Le vie della nostra città sono larghe, anche c'è sempre molto traffico.
    b ☐ Le vie della nostra città sono larghe, perché non c'è sempre molto traffico.
    c ☐ Le vie della nostra città sono larghe, ma c'è sempre molto traffico.
    d ☐ Le vie della nostra città sono larghe, se non c'è sempre molto traffico.

47. a ☐ Ci siamo fermati a dormire presso amici con famiglia.
    b ☐ Ci siamo fermati a dormire presso ad amici di famiglia.
    c ☐ Ci siamo fermati a dormire presso amici della famiglia.
    d ☐ Ci siamo fermati a dormire presso amici di famiglia.

48. a ☐ Non abbiamo voglia continuare lavorare.
    b ☐ Non abbiamo voglia di continuare lavorare.
    c ☐ Non abbiamo voglia di continuare a lavorare.
    d ☐ Non abbiamo voglia a continuare di lavorare.

49. a ☐ Fra poco compreremo una nuova macchina di scrivere.
    b ☐ Fra poco compreremo una nuova macchina per scrivere.
    c ☐ Fra poco compreremo una nuova macchina da scrivere.
    d ☐ Fra poco compreremo una nuova macchina a scrivere.

50. a ☐ I giovani di tutto il mondo debbono studiare straniere lingue.
    b ☐ I giovani di tutto mondo devono ascoltare lingue straniere.
    c ☐ I giovani di tutto il mondo devono imparare lingue straniere.
    d ☐ I giovani del tutto mondo debbono leggere straniere lingue.

51. Incontri un tuo vecchio compagno di scuola dopo tanto tempo. Dici:

a ☐ Sono veramente contento di rivederti.

b ☐ Ho voglia di rivederti.

c ☐ Ti saluto cordialmente.

d ☐ È ora di rivederci.

52. Sei arrivato in ritardo ad un appuntamento. Dici:

a ☐ Posso scusarmi.

b ☐ Ti prego di scusarmi.

c ☐ È giusto chiedere scusa.

d ☐ È possibile scusarsi?

53. Un amico si è scusato con te del ritardo. Rispondi:

a ☐ Non fa niente, non preoccuparti.

b ☐ Nella vita ci sono sempre problemi.

c ☐ Certo non è bello arrivare tardi.

d ☐ Non è piacevole scusarsi.

54. Rivedi un collega d'università. Domandi:

a ☐ Ti ricordi i bei tempi dell'università?

b ☐ Hai dimenticato tutto?

c ☐ Ti va di parlare del passato?

d ☐ Vuoi ricordare qualcosa di bello?

II B

GIORNO	MESE	ANNO

1. a ☐ A quest'ora la stazione è buia e deserta.
   b ☐ A quest'ora le stazione sono buie e deserte.
   c ☐ A queste ore la stazione è buia e deserta.
   d ☐ A quest'ora la stazione buia e deserta è.

2. a ☐ Conosciamo bene scrittori italiani.
   b ☐ Conosciamo bene gli scrittori italiani.
   c ☐ Conosciamo bene gli italiani scrittori.
   d ☐ Conosciamo bene italiani scrittori.

3. a ☐ Il signor Benassi lavora in questo l'ufficio.
   b ☐ Il signor Benassi lavora in l'ufficio.
   c ☐ Il signor Benassi lavora nell'ufficio.
   d ☐ Il signor Benassi lavora in quest'ufficio.

4. a ☐ Nella nostra regione sono delle belle scuole, la scuola migliore è in questa città.
   b ☐ Nella nostra regione sono delle belle scuole, la scuola migliore c'è in questa città.
   c ☐ Nella nostra regione ci sono delle belle scuole, la scuola migliore è in questa città.
   d ☐ Nella nostra regione ci sono delle belle scuole, la scuola migliore c'è in questa città.

5. a ☐ Ti alzerai veramente ogni mattina alle sette?
   b ☐ Ti alzerai veramente ogni mattine alle sette?
   c ☐ Ti alzerai veramente a ogni mattine alle sette?
   d ☐ Ti alzerai veramente in ogni mattina alle sette?

6. a ☐ Nelle italiane università studiano anche molti stranieri.
   b ☐ Nelle università italiane anche studiano molti stranieri.
   c ☐ Nelle università italiane studiano anche molti stranieri.
   d ☐ Anche nelle università italiana studiano molti stranieri.

7. a ☐ Quando usciranno le prossime serie di francobolli?
   b ☐ Quando usciranno prossime serie di francobolli?
   c ☐ Quando uscirà la prossima seria di francobolli?
   d ☐ Quando uscirà la prossime serie di francobolli?

8. a ☐ Esco con qualche amiche grece.
   b ☐ Esco con qualche amiche greche.
   c ☐ Esco con qualche amica greca.
   d ☐ Esco con qualche amica grece.

9. a ☐ Andiamo al mare con nostro figlio e i suoi bambini.
   b ☐ Andiamo al mare con nostro figlio e suoi bambini.
   c ☐ Andiamo al mare con il nostro figlio e i suoi bambini.
   d ☐ Andiamo al mare con il nostro figlio e bambini suoi.

10. a ☐ Il vecchio signore non sta bene, non vuole mangiare niente.
    b ☐ Il vecchio signore non sta bene, vuole mangiare niente.
    c ☐ Il vecchio signore non sta bene, non niente vuole mangiare.
    d ☐ Il vecchio signore non sta bene, vuole non niente mangiare.

11. a ☐ Questa volta abbiamo visitato due città italiana solo.
    b ☐ Questa volta solo abbiamo visitato due città italiane.
    c ☐ Questa volta abbiamo visitato due solo città italiane.
    d ☐ Questa volta abbiamo visitato solo due città italiane.

12. a ☐ Porterò qualche fiore fresca alla mamma.
    b ☐ Porterò qualche fiore fresco alla mamma.
    c ☐ Porterò qualche fiori freschi alla mamma.
    d ☐ Porterò qualche fiore fresche alla mamma.

13. a ☐ Quest'estate, al mare, i bambini sono abbronzati.

b ☐ Quest'estate, al mare, i bambini hanno abbronzato.

c ☐ Quest'estate, al mare, i bambini si sono abbronzati.

d ☐ Quest'estate, al mare, i bambini si sono abbronzato.

14. a ☐ Lei, professore, è stato invitato nella festa?

b ☐ Lei, professore, è stata invitata per la festa?

c ☐ Lei, professore, è stata invitato in festa?

d ☐ Lei, professore, è stato invitato alla festa?

15. a ☐ Sono arrivato questi ragazzi e mi hanno detto subito la verità.

b ☐ Sono arrivati questi ragazzi e mi hanno deto subito la verità.

c ☐ Sono arrivati questi ragazzi e mi hanno detto subito la verità.

d ☐ Sono arrivati questi ragazzi e mi hanno ditto subito la verità.

16. a ☐ I tuoi figli hanno rimasto a scuola tutto il pomeriggio.

b ☐ I tuoi figli hanno rimanuto a scuola tutto il pomeriggio.

c ☐ I tuoi figli sono rimasti a scuola tutto il pomeriggio.

d ☐ I tuoi figli sono rimasti a scuola tutto pomeriggio.

17. a ☐ La mamma ha coprito la bambina.

b ☐ La mamma ha coperto la bambina.

c ☐ La mamma è coperta la bambina.

d ☐ La mamma è coprita la bambina.

18. a ☐ Il direttore ha deciduto annunciare la notizia.

b ☐ Il direttore ha deciso annunciare la notizia.

c ☐ Il direttore ha deciso di annunciare la notizia.

d ☐ Il direttore ha deciduto di annunciare la notizia.

19. a ☐ Vedo che ora sorridi. Perché ha pianto prima?

b ☐ Vedo che ora sorridi. Perché hai pianto prima?

c ☐ Vedo che ora sorridi. Perché hai pianguto prima?

d ☐ Vedo che ora sorridi. Perché hai piangiuto prima?

20. a ☐ Il mese scorso abbiamo fatto molte cose.

b ☐ Il mese scorso abbiamo fato molte cose.

c ☐ Il mese scorso abbiamo fatte molte cose.

d ☐ Il mese scorso siamo fatte molte cose.

21. a ☐ Quella sera non siamo tornati a casa, siamo dormiti in albergo.

b ☐ Quella sera non siamo tornati a casa, abbiamo dormito in albergo.

c ☐ Quella sera non abbiamo tornato a casa, abbiamo dormito in albergo.

d ☐ Quella sera non siamo tornato a casa, abbiamo dormito in albergo.

22. a ☐ Il gruppo di giovani rimanerà in Italia tutta l'estate.

b ☐ Il gruppo di giovani rimanarà in Italia tutta l'estate.

c ☐ Il gruppo di giovani rimarà in Italia tutta l'estate.

d ☐ Il gruppo di giovani rimarrà in Italia tutta l'estate.

23. a ☐ Domani venirò da te e faremo insieme i dolci.

b ☐ Domani verrò da te e faremo insieme i dolci.

c ☐ Domani venirò da te e facciamo insieme i dolci.

d ☐ Domani verrò da te e farò insieme i dolci.

24. A chi posso chiedere dieci euro?

a ☐ Puoi chiedere a tua amica.

b ☐ Puoi chiedere alla tua amica.

c ☐ Puoi chiederli alla tua amica.

d ☐ Li puoi chiedere a tua amica.

25. a ☐ Domenica prossima anderete in montagna o in campagna?

b ☐ Domenica prossima verrete in montagna o in campagna?

c ☐ Domenica prossima andrete in montagna o in campagna?

d ☐ Domenica prossima andrete in montagna o nella campagna?

26. a ☐ Nei prossimi giorni noi avremo molta cosa da fare.

b ☐ Nei prossimi giorni noi avremo molte cose di fare.

c ☐ Nei prossimi giorni noi avremo molte cose da fare.

d ☐ Nei prossimi giorni noi avremo molte cose da fare.

27. Quanti quadri ci sono nella tua stanza?

a ☐ Ne sono alcuni.

b ☐ Ci sono alcuni.

c ☐ Ci ne sono alcuni.

d ☐ Ce ne sono alcuni.

28. a ☐ Speriamo che il bambino riuscirà dormire tranquillo questa notte.

b ☐ Speriamo che il bambino riuscirà a dormire tranquillo questa notte.

c ☐ Speriamo che il bambino riuscirà di dormire tranquillo questa notte.

d ☐ Speriamo che il bambino riuscirà per dormire tranquillo questa notte.

29. a ☐ Dopo che imparerò bene l'inglese, lavorerò all'estero.

b ☐ Dopo che avrò imparato bene l'inglese, lavoro all'estero.

c ☐ Dopo che avrò imparato bene l'inglese, lavorerò all'estero.

d ☐ Dopo che imparerò bene l'inglese, avrò lavorato all'estero.

30. a ☐ Per voi va bene se ordiniamo solo acqua?

b ☐ Per voi andate bene se ordiniamo solo acqua?

c ☐ Per tu vai bene se ordiniamo solo acqua?

d ☐ Per te vai bene se ordiniamo solo acqua?

31. a ☐ I ragazzi preparano per l'esame di domani.

b ☐ I ragazzi si preparano l'esame di domani.

c ☐ I ragazzi si preparano per l'esame di domani.

d ☐ I ragazzi si preparano per esame di domani.

32. a ☐ Il signor Tofani ed io salutiamo ogni mattina.

b ☐ Il signor Tofani ed io ci salutiamo ogni mattina.

c ☐ Io e signor Tofani salutiamo ogni mattina.

d ☐ Signor Tofani ed io ci salutiamo ogni mattina.

33. a ☐ Dovete imparare ad usare questa espressione idiomatica.

b ☐ Dovete imparare per usare questa espressione idiomatica.

c ☐ Dovete imparare di usare questa espressione idiomatica.

d ☐ Dovete imparare usare questa espressione idiomatica.

34. Quante scuole di lingua ci sono nella vostra città?

a ☐ Ci sono poche.

b ☐ Ne ce sono poche.

c ☐ Ce ne sono poche.

d ☐ Cene sono poche.

35. A chi volete dare questa bella notizia?

a ☐ Voglio darla ad ogni compagno di classe.

b ☐ La vogliono dare ad ogni compagno di classe.

c ☐ Vogliamo dare ad ogni compagno di classe.

d ☐ Vogliamo darla ad ogni compagno di classe.

36. Porti i bambini a scuola in macchina?

a ☐ No, li porto a piedi.

b ☐ No, li ci porto a piedi.

c ☐ No, ci li porto a piedi.

d ☐ No, ce li porto a piedi.

37. Quanti turisti arriveranno oggi alla stazione di Assisi?

a ☐ Ne arriveranno molti.

b ☐ Ce ne arriverà molti.

c ☐ Ce ne arriveranno molti.

d ☐ Ci arriveranno molti.

38. Quante persone ci saranno in piazza?

a ☐ Secondo me, a quest'ora non ce n'è nessuna.

b ☐ Secondo me, a quest'ora non ce ne nessuna.

c ☐ Secondo me, a quest'ora non c'è ne nessuna.

d ☐ Secondo me, a quest'ora non c'è n'è nessuna.

39. Volete chiamare subito il cameriere al nostro tavolo?

a ☐ Sì, celo vogliamo chiamare.

b ☐ Sì, vogliamo chiamarlo.

c ☐ Sì, vogliamo chiamarcelo.

d ☐ Sì, ci vogliamo chiamarlo.

40. A chi devi dare queste lettere?

a ☐ Le devo dare a sua mamma.

b ☐ Devo dare alla sua mamma.

c ☐ Devo darle alla sua mamma.

d ☐ Devo darle a sua mamma.

41. a ☐ Alle dieci sera tutti saranno a casa.

b ☐ Alle dieci di sera tutti saranno a casa.

c ☐ Alle dieci della sera tutti saranno a casa.

d ☐ Alle dieci in sera tutti saranno a casa.

42. a ☐ È possibile imparare una lingua per tre mesi?

b ☐ È possibile imparare una lingua a tre mesi?

c ☐ È possibile imparare una lingua durante tre mesi?

d ☐ È possibile imparare una lingua in tre mesi?

43. a ☐ Si è presentato un ragazzo vent'anni circa.

b ☐ Si è presentato un ragazzo da vent'anni circa.

c ☐ Si è presentato un ragazzo di vent'anni circa.

d ☐ Si è presentato un ragazzo a vent'anni circa.

44. Come ti trovi nella tua nuova scuola?

a ☐ Mi trovo veramente molto bene.

b ☐ Mi trovi veramente molto bene.

c ☐ Mi ci trovo veramente molto bene.

d ☐ Ci mi trovo veramente molto bene.

45. a ☐ Dobbiamo andare a quella direzione.

b ☐ Dobbiamo andare in quella direzione.

c ☐ Dobbiamo andare per quella direzione.

d ☐ Dobbiamo andare quella direzione.

46. a ☐ Non hanno capito il motivo di sua partenza.

b ☐ Non hanno capito il motivo della sua partenza.

c ☐ Non hanno capito il motivo alla sua partenza.

d ☐ Non hanno capito il motivo per la sua partenza.

47. a ☐ La casa degli amici spagnoli è vicino al mare.

b ☐ La casa degli amici spagnoli è lontano di mare.

c ☐ La casa degli amici spagnoli è lontano da mare.

d ☐ La casa degli amici spagnoli è vicino a mare.

48. Ci vediamo oggi pomeriggio?

a ☐ Mi dispiace, oggi non possiamo vederci.

b ☐ Mi dispiace, oggi non possiamo vedere.

c ☐ Mi dispiace, oggi non ci possiamo vederci.

d ☐ Mi dispiace, oggi non possiamo ci vedere.

49. a ☐ In nostri giorni molti si occupano di politica.

b ☐ Nei nostri giorni molti si occupano con politica.

c ☐ Ai nostri giorni molti si occupano di politica.

d ☐ In nostri giorni molti si occupano con la politica.

50. a ☐ Ragazzi, se mettete a lavorare, è meglio per tutti!

b ☐ Ragazzi, se mettete lavorare, è meglio per tutti!

c ☐ Ragazzi, se vi mettete lavorare, è meglio per tutti!

d ☐ Ragazzi, se vi mettete a lavorare, è meglio per tutti

51. Rispondi alla domanda: "Come ti vanno le cose?"

a ☐ Vanno a piedi o in macchina.

b ☐ Le cose da fare sono sempre molte.

c ☐ Stanno bene.

d ☐ Va tutto bene, famiglia e attività.

52. Ti chiedono quando pensi di andare in vacanza; rispondi:

a ☐ Ho deciso di andare in vacanza.

b ☐ Preferisco trascorrere le vacanze a casa.

c ☐ Non so quando e se potrò andare in vacanza quest'anno.

d ☐ Ho voglia di riposarmi al mare.

53. Inviti ad entrare qualcuno che ha bussato alla porta:

a ☐ È necessario aprire la porta.

b ☐ Avanti, prego!

c ☐ Può aspettare?

d ☐ Pronto, chi è?

54. Esprimi il tuo totale disaccordo su quanto ha detto tuo fratello:

a ☐ Non sono in disaccordo con te.

b ☐ Non sono contrario alla tua affermazione.

c ☐ Devi sapere che non sono per niente d'accordo con te.

d ☐ La tua affermazione non mi trova in parte d'accordo con te.

PROVE GRADUATE DI PROFITTO ITALIANO LS e L2   III A • III B

Le due prove di profitto, precedute dalla griglia 3 di controllo dell'autovalutazione e dalla griglia di autovalutazione, si basano su:

a) i primi 1000 elementi sia del *Vocabolario fondamentale della lingua italiana* di G. Sciarone sia del *Lessico di frequenza dell'italiano parlato* di T. De Mauro, M. Mancini, M. Vedovelli, M. Voghera;

b) le funzioni e gli atti comunicativi del *Livello soglia* di N. Galli de' Paratesi;

c) i seguenti argomenti grammaticali: **indicativo imperfetto nelle forme regolari e irregolari; trapassato prossimo; pronomi diretti con i tempi composti; pronome partitivo ne con un tempo composto; condizionale semplice; condizionale composto; pronomi indiretti dativi; pronomi accoppiati nei tempi semplici.**

CONTROLLA COSA SAI FARE IN ITALIANO!

GRIGLIA 3 PER IL CONTROLLO DELL'AUTOVALUTAZIONE	S	N
ASCOLTARE		
Riesco a seguire una conversazione quotidiana se l'interlocutrice/interlocutore si esprime con chiarezza; a volte devo però chiedere di ripetere determinate parole ed espressioni.		
Riesco a seguire generalmente i punti principali di una conversazione di una certa lunghezza che si svolge in mia presenza, a condizione che si parli in modo chiaro e nella lingua standard.		
Riesco ad ascoltare brevi racconti e formulare ipotesi su quanto potrà accadere.		
LEGGERE		
Riesco a capire i punti essenziali di brevi articoli di giornale su temi attuali e noti.		
Riesco a leggere su giornali o riviste commenti e interviste in cui qualcuno prende posizione su temi o avvenimenti di attualità e capire le argomentazioni fondamentali.		
Riesco a desumere dal contesto il significato di singole parole sconosciute, riuscendo così a capire il senso del discorso, se l'argomento mi è già noto.		
PARTECIPARE A UNA CONVERSAZIONE		
Riesco a iniziare, sostenere e terminare una conversazione semplice in situazioni di «faccia a faccia» su argomenti a me familiari o di interesse personale.		
Riesco a partecipare a una conversazione o una discussione, ma è possibile che non sempre mi si capisca bene quando cerco di esprimere ciò che vorrei veramente dire.		
PARLARE IN MODO COERENTE		
Riesco a raccontare una storia.		
Riesco a raccontare nei particolari un'esperienza o un avvenimento e a descrivere sentimenti e reazioni.		
SCRIVERE		
Riesco a scrivere un testo semplice e coerente su temi diversi pertinenti alla sfera dei miei interessi ed esprimere opinioni e idee personali.		
Sono in grado di scrivere lettere personali ad amici o conoscenti, chiedendo o raccontando novità o informando su cose successe.		

INIZIA I TEST CHE SEGUONO SE TI RICONOSCI NELLA DESCRIZIONE EVIDENZIATA!

GRIGLIA PER L'AUTOVALUTAZIONE	A1	A2	B1	
CAPIRE — ASCOLTARE	Sono in grado di capire espressioni che mi sono familiari o anche frasi molto semplici, concernenti la mia persona, la famiglia, le cose concrete attorno a me, a condizione che si parli lentamente e in modo ben articolato.	Sono in grado di capire singole frasi e parole usate molto correntemente, purché si tratti di cose che sono importanti per me, ad esempio, informazioni semplici che riguardano la mia persona, la famiglia, le spese, il lavoro e l'ambiente circostante. Capisco inoltre l'essenziale di un messaggio o di un annuncio semplice, breve e chiaro.	Sono in grado di capire i punti essenziali di un discorso, a condizione che venga usata una lingua standard chiara che tratta argomenti familiari inerenti al lavoro, alla scuola, al tempo libero ecc. Sono in grado di trarre l'informazione principale da molti programmi radiofonici o televisivi su avvenimenti di attualità o su argomenti che riguardano la mia sfera professionale o di interessi, a condizione che si parli in modo articolato, relativamente lento e chiaro.	
LEGGERE	Sono in grado di capire singoli nomi e parole che mi sono familiari nonché frasi molto semplici come, ad esempio, quelle sulle insegne, sui manifesti o sui cataloghi.	Sono in grado di leggere un testo molto breve e semplice, di individuare informazioni concrete e prevedibili in testi quotidiani semplici (per esempio, un annuncio, un prospetto, un menu o un orario); sono inoltre in grado di capire una lettera personale semplice e breve.	Sono in grado di capire un testo in cui si usa soprattutto un linguaggio molto corrente o relativo alla professione esercitata. Sono in grado di capire la descrizione di eventi, sentimenti e desideri in lettere personali.	
PARLARE — PARTECIPARE A UNA CONVERSAZIONE	Sono in grado di esprimermi in maniera semplice, a condizione che l'interlocutrice o l'interlocutore sia disposta/o a ripetere certe cose in modo più lento o riformularle diversamente aiutandomi così a formulare quello che vorrei dire. Sono in grado di rispondere a domande semplici e di porne in situazioni di necessità immediata o su argomenti che mi sono molto familiari.	Sono in grado di comunicare in una situazione semplice e abituale che consiste in uno scambio semplice e diretto di informazioni che riguardano temi e attività a me familiari. Sono in grado di gestire scambi sociali molto brevi anche se di solito non comprendo abbastanza per poter condurre personalmente la conversazione.	Sono in grado di districarmi nella maggior parte delle situazioni linguistiche riscontrate nei viaggi nella regione in cui si parla la lingua. Sono in grado di partecipare senza preparazione a una conversazione su argomenti che mi sono familiari o che riguardano i miei interessi oppure che concernono la vita di ogni giorno, come la famiglia, gli hobby, il lavoro, i viaggi o avvenimenti attuali.	
PARLARE IN MODO COERENTE	Sono in grado di utilizzare espressioni e frasi semplici per descrivere le persone che conosco e dove abito.	Sono in grado di descrivere – usando una serie di frasi e con mezzi linguistici semplici – la mia famiglia, le altre persone, la mia formazione, il mio lavoro attuale o l'ultima attività svolta.	Sono in grado di parlare usando frasi semplici e coerenti per descrivere esperienze, eventi, i miei sogni, speranze o obiettivi. Sono in grado di spiegare e di motivare brevemente le mie opinioni e i miei progetti. Sono in grado di raccontare una storia oppure la trama di un libro o di un film e di descrivere le mie reazioni.	
SCRIVERE — SCRIVERE	Sono in grado di scrivere una cartolina semplice e breve con, p.es.: i saluti dalle vacanze. Sono inoltre in grado di compilare un modulo come, per esempio, quello degli alberghi con le mie generalità (nome, indirizzo, nazionalità ecc.).	Sono in grado di scrivere un appunto o una comunicazione breve e semplice nonché una lettera personale molto semplice, ad esempio, per porgere i miei ringraziamenti.	Sono in grado di scrivere un testo semplice e coerente su argomenti che mi sono familiari o che mi interessano personalmente nonché lettere personali riferendo esperienze e descrivendo impressioni.	

B2	C1	C2	
Sono in grado di capire interventi di una certa lunghezza e conferenze seguendo anche un'argomentazione complessa, a condizione che gli argomenti mi siano abbastanza familiari. Sono in grado di capire alla televisione la maggior parte dei notiziari e dei servizi giornalistici d'attualità. Sono in grado di capire la maggior parte dei film, a condizione che si parli un linguaggio standard.	Sono in grado di seguire interventi di una certa lunghezza, anche se non sono strutturati chiaramente e anche se le relazioni contestuali non sono esposte esplicitamente. Sono in grado di capire senza grande fatica un programma televisivo o un film.	Non ho nessuna difficoltà a capire la lingua parlata sia dal vivo che dai mezzi d'informazione, anche quando si parla velocemente. Ho solo bisogno di un po' di tempo per abituarmi a un accento particolare.	
Sono in grado di leggere e di capire un articolo o un rapporto su questioni d'attualità in cui l'autrice o l'autore sostiene particolari atteggiamenti o punti di vista. Sono in grado di capire un testo letterario contemporaneo in prosa.	Sono in grado di capire un testo specialistico lungo e complesso nonché uno letterario e di percepirne le differenze stilistiche. Sono in grado di capire un articolo specialistico e istruzioni tecniche di una certa lunghezza, anche se non rientrano nel campo della mia specializzazione.	Sono in grado di capire senza sforzo praticamente tutti i tipi di testi scritti, anche se sono astratti o complessi dal punto di vista del linguaggio e del contenuto, per esempio, un manuale, un articolo specialistico o un'opera letteraria.	
Sono in grado di comunicare con un grado di scorrevolezza e spontaneità tali da permettere abbastanza facilmente una conversazione normale con un'interlocutrice o un interlocutore di lingua madre. Sono in grado di partecipare attivamente a una discussione in situazioni a me familiari e di esporre e motivare le mie opinioni.	Sono in grado di esprimermi in modo scorrevole e spontaneo, senza dare troppo spesso la chiara impressione di dover cercare le parole. Sono in grado di usare la lingua con efficacia e flessibilità nella vita sociale e professionale. Sono in grado di esprimere i miei pensieri e le mie opinioni con precisione e di associare con abilità i miei interventi con quelli di altri interlocutori.	Sono in grado di partecipare senza sforzo a qualsiasi conversazione o discussione e ho familiarità con le espressioni idiomatiche e il linguaggio corrente. Sono in grado di esprimermi correntemente e di evidenziare con precisione sfumature più sottili di senso. Quando incontro difficoltà di espressione sono in grado di riprendere e riformularla in maniera così abile che chi mi ascolta non se ne accorge.	
Sono in grado di fornire descrizioni chiare e particolareggiate su molti temi inerenti alla sfera dei miei interessi e sono inoltre in grado di commentare un punto di vista su una questione di attualità, indicando i vantaggi e gli inconvenienti delle diverse opzioni.	Sono in grado di descrivere in maniera chiara e circostanziata fatti complessi, collegandone i punti tematici, esponendo aspetti particolari e concludendo il mio contributo in modo adeguato.	Sono in grado di esporre fatti in modo chiaro, scorrevole e stilisticamente adatto alla situazione. Sono in grado di strutturare la mia presentazione in modo logico, facilitando così a chi ascolta il compito di riconoscere e di fissare nella mente i punti importanti.	
Sono in grado di scrivere testi chiari e dettagliati su numerosi argomenti inerenti alla sfera dei miei interessi e di riportare informazioni in un testo articolato o in un rapporto o di esporre gli argomenti pro e contro un determinato punto di vista. Sono in grado di scrivere lettere in cui rendo esplicito il significato personale di avvenimenti ed esperienze.	Sono in grado di esprimermi per iscritto in maniera chiara e ben strutturata nonché di esporre in modo circostanziato le mie opinioni. Sono in grado di trattare un tema complesso in una lettera, in un testo articolato o in un rapporto e di sottolineare gli aspetti che considero essenziali. Nei miei testi scritti sono in grado di scegliere lo stile che più si addice a chi legge.	Sono in grado di scrivere testi chiari, scorrevoli e stilisticamente adatti ad ogni circostanza. Sono in grado di redigere una lettera esigente, un rapporto lungo o un articolo su questioni complesse e strutturarli con chiarezza per permettere a chi legge di capire e ricordare i punti salienti. Sono in grado di riassumere e criticare per iscritto testi specialistici e letterari.	

III A

GIORNO	MESE	ANNO

1. a ☐ Quest'estate siamo stati in Sicilia.
    b ☐ Questa estate siamo stati a Sicilia.
    c ☐ Questo estate siamo stati in Sicilia.
    d ☐ Queste estate siamo stati in Sicilia.

2. Quante città italiane visiterai?
    a ☐ Visiterò alcuna.
    b ☐ Ne visiterò alcune.
    c ☐ Visiterò alcune.
    d ☐ Le visiterò alcune.

3. a ☐ Studiamo lingue; l'inglese è molto difficile.
    b ☐ Studiamo lingue; la inglese lingua è molto difficile.
    c ☐ Studiamo lingue; inglese è molto difficile.
    d ☐ Studiamo lingue; lingua inglese è molto difficile.

4. a ☐ Tutte mattine andiamo a scuola insieme.
    b ☐ Qualche mattine andiamo a scuola insieme.
    c ☐ Ogni mattine andiamo a scuola insieme.
    d ☐ Ogni mattina andiamo a scuola insieme.

5. a ☐ Nel tuo libro abbiamo trovato quei bei esempi.
    b ☐ Nel tuo libro abbiamo trovato quei begli esempi.
    c ☐ Nel tuo libro abbiamo trovato quegli begli esempi.
    d ☐ Nel tuo libro abbiamo trovato quei belli esempi.

6. a ☐ Questi giorni fa è venuto a trovarmi un amico italiano.
    b ☐ Qualche giorni fa è venuto a trovarmi un amico italiano.
    c ☐ Qualche giorno fa è venuto a trovarmi un amico italiano.
    d ☐ Poco giorno fa è venuto a trovarmi un amico italiano.

7. a ☐ Ci siamo sistemati in un bel albergo al centro.
    b ☐ Ci siamo sistemati in un bello albergo al centro.
    c ☐ Ci siamo sistemati in un bell'albergo al centro.
    d ☐ Ci siamo sistemati in un bel'albergo al centro.

8. a ☐ In momento non so che cosa dirti.
    b ☐ In quel momento non so che cosa dirti.
    c ☐ In questo momento non so che cosa dirti.
    d ☐ In un momento non so che cosa dirti.

9. a ☐ Conosciamo bene le città antiche dell'Italia centrale.
    b ☐ Conosciamo bene le città antica dell'Italia centrale.
    c ☐ Conosciamo bene la città antiche dell'Italia centrale.
    d ☐ Conosciamo bene città antiche dell'Italia centrale.

10. a ☐ Laggiù nel nostro giardino vedi quelli alberi in fiore?
    b ☐ Laggiù nel nostro giardino vedi quegli alberi in fiore?
    c ☐ Laggiù nel nostro giardino vedi quei alberi in fiore?
    d ☐ Laggiù nel nostro giardino vedi quell'alberi in fiore?

11. a ☐ Di chi è questo cane lì?
    b ☐ Di chi è quel cane qua?
    c ☐ Di chi è quel cane lì?
    d ☐ Di chi è quel cane qui?

12. a ☐ Mio figlio finiva gli studi un anno fa.
    b ☐ Mio figlio ha finito gli studi un anno fa.
    c ☐ Mio figlio ha finito studi un anno fa.
    d ☐ Mio figlio finiva studi un anno fa.

13. a ☐ Abbiamo conosciuto Enrico quando lavorava a Brescia.
    b ☐ Abbiamo conosciuto Enrico quando ha lavorato a Brescia.
    c ☐ Conoscevamo Enrico quando ha lavorato a Brescia.
    d ☐ Conoscevamo Enrico quando lavorava a Brescia.

14. a ☐ Ieri la famiglia rimaneva a casa tutto il giorno.

b ☐ Ieri la famiglia rimanevano a casa tutto il giorno.

c ☐ Ieri la famiglia è rimasta a casa tutto il giorno.

d ☐ Ieri la famiglia sono rimasti a casa tutto il giorno.

15. a ☐ È tardi, dunque non possiamo rimanere con voi.

b ☐ È tardi, quando non possiamo rimanere con voi.

c ☐ È tardi, mentre non possiamo rimanere con voi.

d ☐ È tardi, perché non possiamo rimanere con voi.

16. a ☐ Quelle piazze di Roma abbiamo visitate insieme.

b ☐ Quelle piazze di Roma le abbiamo visitate insieme.

c ☐ Quelle piazze di Roma ne abbiamo visitate insieme.

d ☐ Quelle piazze di Roma abbiamo visitato insieme.

17. Avevamo alcuni problemi.

a ☐ Gli abbiamo discusso in classe.

b ☐ Abbiamo discusso in classe.

c ☐ Ne abbiamo discussi in classe.

d ☐ Li abbiamo discussi in classe.

18. a ☐ Professore, piace viaggiare?

b ☐ Professore, ti piaci viaggiare?

c ☐ Professore, Le piace viaggiare?

d ☐ Professore, gli piace viaggiare?

19. a ☐ Non mi piacerebbe lasciare questa gente.

b ☐ Non piacerebbe lasciare questa gente.

c ☐ Non mi piacerebbe a lasciare questa gente.

d ☐ Non mi piacerebbe da lasciare questa gente.

20. a ☐ Sai quando parte il treno per Assisi?

b ☐ Conosci quando parte il treno per Assisi?

c ☐ Conosci quando parte il treno a Assisi?

d ☐ Sai quando parte il treno a Assisi?

21. a ☐ Ti piaci passeggiare in campagna?

b ☐ Te piace passeggiare in campagna?

c ☐ Ti piace passeggiare in campagna?

d ☐ Tu piaci passeggiare in campagna?

22. Avete ascoltato canzoni italiane ieri sera?

a ☐ No, non abbiamo ascoltato nessuna.

b ☐ No, abbiamo ascoltato nessuna.

c ☐ No, nessuna abbiamo ascoltato.

d ☐ No, non ne abbiamo ascoltata nessuna.

23. a ☐ La mia università offre molte borse di studio ai loro studenti.

b ☐ Mia università offre molte borse di studio agli studenti.

c ☐ La mia università offre molte borse di studio ai suoi studenti.

d ☐ La mia università offre molte borse di studio a suoi studenti.

24. a ☐ Ieri sera abbiamo lavorato fino alle otto, poi siamo usciti.

b ☐ Ieri sera lavoravamo fino alle otto, poi siamo usciti.

c ☐ Ieri sera lavoravamo fino alle otto, poi uscivamo.

d ☐ Ieri sera abbiamo lavorato fino alle otto, poi uscivamo.

25. a ☐ Abbiamo accesso il fuoco perché avevamo freddo.

b ☐ Abbiamo acceso il fuoco perché avevamo freddo.

c ☐ Abbiamo acceso il fuoco perché abbiamo avuto freddo.

d ☐ Accendevamo il fuoco perché avevamo freddo.

26. a ☐ Lavoravamo troppo quel giorno, ecco perché siamo stati tanto stanchi.

b ☐ Avevamo lavorato troppo quel giorno, ecco perché siamo stati tanti stanchi.

c ☐ Lavoravamo troppo quel giorno, ecco perché eravamo tanto stanchi.

d ☐ Avevamo lavorato troppo quel giorno, ecco perché eravamo tanto stanchi.

27. a ☐ Non siamo contenti. Non ci piace questa sistema politica.

b ☐ Non siamo contenti. Non piace questo sistema politico.

c ☐ Non siamo contenti. Non ci piace questo sistema politico.

d ☐ Non siamo contenti. Non ci piace questo politico sistema.

28. a ☐ Adesso siete qui. Ma dove eravate ieri mattina?

b ☐ Adesso siete qui. Ma dove eravate mattina ieri?

c ☐ Adesso siete qui. Ma dove eravate stati ieri mattina?

d ☐ Adesso siete stati qui. Ma dove eravate mattina?

29. a ☐ Signora, come Lei sembra il nostro teatro?

b ☐ Signora, come ti sembri il nostro teatro?

c ☐ Signora, come Le sembra il nostro teatro?

d ☐ Signora, come ti sembra il nostro teatro?

30. Che cosa hai offerto agli amici?

a ☐ Loro ho offerto un caffè.

b ☐ Gl'ho offerto un caffè.

c ☐ Li ho offerti un caffè.

d ☐ Gli ho offerto un caffè.

31. a ☐ L'acqua del fiume è troppa alta.

b ☐ L'acqua del fiume è troppo alta.

c ☐ L'acqua del fiume è alta troppa.

d ☐ L'acqua del fiume è alta troppo.

32. a ☐ Non posso darvi quel libro, servo.

b ☐ Non posso darvi quel libro, serve a me.

c ☐ Non posso darvi quel libro, serve.

d ☐ Non posso darvi quel libro, serve me.

33. a ☐ L'anno scorso erano andati al mare ogni domenica.

b ☐ L'anno scorso sono andavo al mare ogni domenica.

c ☐ L'anno scorso andavano al mare ogni domenica.

d ☐ L'anno scorso erano andate al mare domenica.

34. a ☐ Mentre ho guardato il film, ho pensato ad altre cose.

b ☐ Mentre guardavo il film, pensavo ad altre cose.

c ☐ Mentre guardavo il film, avevo pensato ad altre cose.

d ☐ Mentre ho guardato il film, pensavo ad altre cose.

35. Quante parole nuove hai imparato?

a ☐ Ne ho imparate molte.

b ☐ Ne ho imparato molto.

c ☐ Ho imparate molte.

d ☐ Ho imparate molto.

36. a ☐ Ti dispiace a fare questo per me?

b ☐ Tu dispiaci fare questo per me?

c ☐ Ti dispiaci a fare questo per me?

d ☐ Ti dispiace fare questo per me?

37. a ☐ Il corso comincia nel mese del settembre.

b ☐ Il corso comincia nel mese di settembre.

c ☐ Il corso comincia in mese di settembre.

d ☐ Il corso comincia in mese del settembre.

38. Potresti accompagnarlo dal medico?

a ☐ No, non ce lo posso accompagnare.

b ☐ No, non lo ci posso accompagnare.

c ☐ No, non celo posso accompagnare.

d ☐ No, non ci lo posso accompagnare.

39. a ☐ Siete brave, conoscete conversare bene anche in italiano.

b ☐ Siete brave, conoscete a conversare bene anche in italiano.

c ☐ Siete brave, sapete conversare bene anche in italiano.

d ☐ Siete brave, sapete di conversare anche in italiano.

40. a ☐ È cominciato piovere verso una.

b ☐ È cominciato a piovere verso una.

c ☐ È cominciato per piovere verso l'una.

d ☐ È cominciato a piovere verso l'una.

41. a ☐ Poverino, aveva una paura da morire!

b ☐ Poverino, aveva una paura per morire!

c ☐ Poverino, aveva una paura che morire!

d ☐ Poverino, aveva una paura di morire!

42. a ☐ Usciremmo volentieri a questo bel sole.

b ☐ Usciremmo volentieri se questo bel sole.

c ☐ Usciremmo volentieri con questo bel sole.

d ☐ Usciremmo volentieri in questo bel sole.

43. a ☐ Mi ha piaciuto la sua risposta.

b ☐ Mi è piaciuta la sua risposta.

c ☐ Io sono piaciuta la sua risposta.

d ☐ Mi è piaciuto la sua risposta.

44. a ☐ Avremo invitato a pranzo i nostri amici, ma erano fuori città.

   b ☐ Inviteremmo a pranzo i nostri amici, ma erano fuori città.

   c ☐ Inviteremo a pranzo i nostri amici, ma erano fuori città.

   d ☐ Avremmo invitato a pranzo i nostri amici, ma erano fuori città.

45. a ☐ Quel signore va pazzo con gli oggetti antichi.

   b ☐ Quel signore va pazzo agli oggetti antichi.

   c ☐ Quel signore va pazzo degli oggetti antichi.

   d ☐ Quel signore va pazzo per gli oggetti antichi.

46. a ☐ Questi giovani non hanno paura al futuro.

   b ☐ Questi giovani non hanno paura del futuro.

   c ☐ Questi giovani non hanno paura dal futuro.

   d ☐ Questi giovani non hanno paura per futuro.

47. a ☐ Siamo riusciti capire tutto.

   b ☐ Siamo riusciti di capire tutto.

   c ☐ Siamo riusciti a capire tutto.

   d ☐ Siamo riusciti da capire tutto.

48. a ☐ Per quale ragione sono rimasti all'estero?

   b ☐ Perché ragione sono rimasti all'estero?

   c ☐ Per come ragione sono rimasti all'estero?

   d ☐ A quale ragione sono rimasti all'estero?

49. a ☐ Ci ha parlato del suo ultimo viaggio in Umbria.

   b ☐ Ci ha parlato del suo ultimo viaggio per Umbria.

   c ☐ Ci ha parlato del suo ultimo viaggio a Umbria.

   d ☐ Ci ha parlato del suo ultimo viaggio nell'Umbria.

50. a ☐ Certamente non ti sarà difficile superare questa prova!

   b ☐ Certamente non ti sarà difficile per superare questa prova!

   c ☐ Certamente non ti sarà difficile di superare questa prova!

   d ☐ Certamente non ti sarà difficile a superare questa prova!

funzioni e atti comunicativi

51. Hai visto un incidente automobilistico. Racconti che hai avuto un grande spavento:

   a ☐ Io non ho paura di niente!

   b ☐ Ancora tremo dalla paura!

   c ☐ Nulla mi spaventa!

   d ☐ È bello avere paura!

52. Incoraggi uno studente a prendere una decisione importante. Dici:

   a ☐ Forse è meglio aspettare un po'.

   b ☐ Non è facile decidere.

   c ☐ È necessario non prendere una decisione ora.

   d ☐ Vedrai che tutto andrà bene, sono sicuro che non ti pentirai!

53. Parli di una persona che ti è simpatica. Dici:

   a ☐ Non posso dire che è simpatica.

   b ☐ Sto bene con lei, mi piace.

   c ☐ Mi piace perché lei parla poco.

   d ☐ È interessante discutere di moda con lei.

54. Il bigliettaio non ha due centesimi di resto da darti. Dici che è tutto a posto:

   a ☐ Lasci perdere, non si preoccupi!

   b ☐ Non capisco perché non avete spiccioli.

   c ☐ Che cosa aspetta a darmi il resto?

   d ☐ Faccia con calma, non ho fretta.

III B

GIORNO	MESE	ANNO

1. a ☐ Vorremmo vedere anche spettacolo di domenica.
   b ☐ Vorremmo vedere anche lo spettacolo di domenica.
   c ☐ Vorremmo vedere anche uno spettacolo alla domenica.
   d ☐ Vorremmo vedere anche uno spettacolo a domenica.

2. Quanti fiori comprerete?
   a ☐ Li compreremo molti.
   b ☐ Ne compreremo molti.
   c ☐ Ne compreremo tutti.
   d ☐ Li compreremo alcuni.

3. a ☐ Non ho voglia di prendere quel treno.
   b ☐ Non ho voglia a prendere quel treno.
   c ☐ Non ho voglia da prendere quel treno.
   d ☐ Non ho voglia per prendere quel treno.

4. a ☐ L'uomo che mi hai presentato ieri aveva i mani grandi.
   b ☐ L'uomo che mi hai presentato ieri aveva le mani grandi.
   c ☐ L'uomo che mi hai presentato ieri aveva le mane grandi.
   d ☐ L'uomo che mi hai presentato ieri aveva le mani grande.

5. a ☐ Fa freddo da cani, preferisco non uscire con il tempo.
   b ☐ Fa freddo da cani, preferisco non uscire con quel tempo.
   c ☐ Fa un freddo da cani, preferisco non uscire con questo tempo.
   d ☐ Fa un freddo da cani, preferisco non uscire con il tempo.

6. a ☐ Qualche volta alla lezione d'italiano non capisco il professore.
   b ☐ Qualche volta alla lezione d'italiano non capisco il professore.
   c ☐ Ogni volte alla lezione d'italiano non capisco il professore.
   d ☐ Tutte volte alla lezione d'italiano non capisco il professore.

7. a ☐ Quanti saranno i belli alberghi nella vostra città?
   b ☐ Quanti saranno i bei alberghi nella vostra città?
   c ☐ Quanti saranno i bell'alberghi nella vostra città?
   d ☐ Quanti saranno i begli alberghi nella vostra città?

8. Chi avvertirà gli amici?
   a ☐ Li ho già avvertiti io.
   b ☐ Gli ho già avvertito io.
   c ☐ Gli ho già avvertiti io.
   d ☐ Li ho già avvertito io.

9. a ☐ Quando era in Italia, ogni mattina ha preso il caffè con sua amica.
   b ☐ Quando era in Italia, ogni mattina prendeva il caffè con la sua amica.
   c ☐ Quando è stato in Italia, ogni mattina ha preso il caffè con sua amica.
   d ☐ Quando è stato in Italia, ogni mattina prendeva il caffè con la sua amica.

10. a ☐ Sandra ha abitato a Firenze dal 1995 al 2000.
    b ☐ Sandra abitava a Firenze dal 1995 al 2000.
    c ☐ Sandra è abitata a Firenze dal 1995 al 2000.
    d ☐ Sandra aveva abitato a Firenze dal 1995 al 2000.

11. a ☐ Che ora è? Non ho l'orologio, ma sarebbe le undici.
    b ☐ Che ora è? Non ho l'orologio, ma sarebbero le undici.
    c ☐ Che ora è? Non ho l'orologio, ma sarà le undici.
    d ☐ Che ora è? Non ho l'orologio, ma saranno le undici.

12. Quante lettere avete ricevuto ieri?
    a ☐ Non abbiamo ricevuto nessuna.
    b ☐ Non ne abbiamo ricevuta nessuna.
    c ☐ Non ne abbiamo ricevuto nessuna.
    d ☐ Non abbiamo ricevuta nessuna.

13. a ☐ Quante prove avete superato? Ne abbiamo superate parecchie.
    b ☐ Quante prove avete superato? Ne abbiamo superato parecchie.
    c ☐ Quante prove avete superato? Parecchie ne abbiamo superato.
    d ☐ Quante prove avete superato? Parecchie abbiamo superate.

14. a ☐ Signora, Le hanno piaciuto gli ultimi libri di Umberto Eco?

   b ☐ Signora, Le sono piaciuti gli ultimi libri di Umberto Eco?

   c ☐ Signora, Lei è piaciuta gli ultimi libri di Umberto Eco?

   d ☐ Signora, ti sono piaciuta gli ultimi libri di Umberto Eco?

15. a ☐ I bambini così piccoli non sanno ancora a leggere.

   b ☐ I bambini così piccoli non sanno ancora leggere.

   c ☐ I bambini così piccoli non conoscono ancora leggere.

   d ☐ I bambini così piccoli non riescono ancora leggere.

16. a ☐ Potrete uscire dopo che finirete il lavoro.

   b ☐ Potrete uscire dopo che avreste finito il lavoro.

   c ☐ Potrete uscire dopo che finireste il lavoro.

   d ☐ Potrete uscire dopo che avrete finito il lavoro.

17. a ☐ Mentre ho aspettato il treno, ho deciso di fare una visita agli zii.

   b ☐ Mentre aspettavo il treno, decidevo di fare una visita agli zii.

   c ☐ Mentre aspettavo il treno, ho deciso di fare una visita agli zii.

   d ☐ Mentre ho aspettato il treno, decidevo di fare una visita agli zii.

18. a ☐ Questi ragazzi dicono la verità, ci sono certo.

   b ☐ Questi ragazzi dicono la verità, sono certo.

   c ☐ Questi ragazzi dicono la verità, ne sono certo.

   d ☐ Questi ragazzi dicono la verità, ce ne sono certo.

19. a ☐ Ci piacerebbe vivere in questa città.

   b ☐ Ci piacerebbe vivere questa città.

   c ☐ Ci piaceremmo vivere in questa città.

   d ☐ Noi piaceremmo vivere in questa città.

20. a ☐ Sai a dirmi a che ora comincia lo spettacolo?

   b ☐ Sai dirmi a che ora comincia lo spettacolo?

   c ☐ Conosci dire a che ora comincia lo spettacolo?

   d ☐ Riesci dirmi a che ora comincia lo spettacolo?

21. a ☐ Se vuoi conoscere i miei amici, ti presento subito.

   b ☐ Se vuoi conoscere i miei amici, li presento subito.

   c ☐ Se vuoi conoscere i miei amici, ti li presento subito.

   d ☐ Se vuoi conoscere i miei amici, te li presento subito.

22. a ☐ Luisa ed io rivedremo volentieri, dopo tanti anni.

   b ☐ Luisa ed io mi rivedrei volentieri, dopo tanti anni.

   c ☐ Luisa ed io ci rivedremmo volentieri, dopo tanti anni.

   d ☐ Luisa ed io rivedremmo volentieri, dopo tanti anni.

23. a ☐ Bambini, potreste smettere di gridare?

   b ☐ Bambini, potrete smettere di gridare?

   c ☐ Bambini, potreste smettere a gridare?

   d ☐ Bambini, potrete smettere a gridare?

24. a ☐ Quanto tempo vuole da qui a casa vostra?

   b ☐ Quanto tempo ci vuole da qui a casa vostra?

   c ☐ Quanto tempo ci vole da qui a casa vostra?

   d ☐ Quanti tempi ci vogliono da qui a casa vostra?

25. a ☐ Quando mi chiamavi, dormivo ancora.

   b ☐ Quando mi hai chiamato, dormivo ancora.

   c ☐ Quando mi chiamavi, ho dormito ancora.

   d ☐ Quando mi hai chiamato, ho dormito ancora.

26. a ☐ Come vi sembrate queste lettere?

   b ☐ Come vi sembra queste lettere?

   c ☐ Come vi sembrano queste lettere?

   d ☐ Come voi sembrate queste lettere?

27. a ☐ Ieri era la festa della mamma, l'abbiamo regalata molti fiori.

   b ☐ Ieri era la festa della mamma, le abbiamo regalati molti fiori.

   c ☐ Ieri era la festa della mamma, gli abbiamo regalato molti fiori.

   d ☐ Ieri era la festa della mamma, le abbiamo regalato molti fiori.

28. a ☐ Vedo che l'idea è piaciuta anche a tu.

b ☐ Vedo che l'idea è piaciuta anche te.

c ☐ Vedo che l'idea è piaciuta anche tu.

d ☐ Vedo che l'idea è piaciuta anche a te.

29. a ☐ Alle sette ha mancato la luce e noi siamo rimasti al buio per due ore.

b ☐ Alle sette è mancata la luce e noi siamo rimasti al buio per due ore.

c ☐ Alle sette mancava la luce e noi rimanevamo al buio per due ore.

d ☐ Alle sette è mancata la luce e noi rimanevamo al buio per due ore.

30. a ☐ Mentre scendevamo le scale, abbiamo incontrato tuo fratello.

b ☐ Mentre abbiamo sceso le scale, abbiamo incontrato tuo fratello.

c ☐ Mentre scendevamo le scale, incontravamo tuo fratello.

d ☐ Mentre abbiamo sceso le scale, incontravamo tuo fratello.

31. a ☐ Ho aperto la finestra perché sentivo troppo caldo.

b ☐ Ho aperto la finestra perché ho sentito troppo caldo.

c ☐ Aprivo la finestra perché ho sentito troppo caldo.

d ☐ Aprivo la finestra perché sentivo troppo caldo.

32. Mi ha raccontato delle notizie veramente interessanti. Devo dire che:

a ☐ Mi ha raccontate tante.

b ☐ Mi ha raccontato tanto.

c ☐ Me ne ha raccontate tante.

d ☐ Ne ha raccontate tante.

33. a ☐ Il bambino non sta bene. Io chiamarei il dottore.

b ☐ Il bambino non sta bene. Io chiamerei al dottore.

c ☐ Il bambino non sta bene. Io chiamerei il dottore.

d ☐ Il bambino non sta bene. Io chiamarei al dottore.

34. a ☐ Partirà subito, ma non può, deve rimanere a casa.

b ☐ Partirebe subito, ma non può, deve rimanere a casa.

c ☐ Partirebbe subito, ma non può, deve rimanere a casa.

d ☐ Parte subito, ma non può, deve rimanere a casa.

35. Quanti palazzi nuovi hanno costruito in questa zona?

a ☐ Hanno costruito alcuno.

b ☐ Ne hanno costruito alcuni.

c ☐ Ci hanno costruiti alcuni.

d ☐ Ce ne hanno costruiti alcuni.

36. a ☐ Ti avrei dato la soluzione, ma non ce l'avevo.

b ☐ Ti darei la soluzione, ma non ce l'avevo.

c ☐ Ti avrei dato la soluzione, ma non ce l'ho avuta.

d ☐ Ti darei la soluzione, ma non ce l'ho avuta.

37. a ☐ Ci piace le colline dell'Umbria.

b ☐ Ci piacciono le colline dell'Umbria.

c ☐ Noi piacciamo le colline dell'Umbria.

d ☐ Noi piaccion le colline dell'Umbria.

38. a ☐ Eravamo fuori per lavoro quando arrivavano i signori Bernardi.

b ☐ Eravamo fuori per lavoro quando sono arrivati i signori Bernardi.

c ☐ Siamo stati fuori per lavoro quando sono arrivati i signori Bernardi.

d ☐ Siamo stati fuori per lavoro quando arrivavano i signori Bernardi.

39. a ☐ Anche noi sappiamo che non è facile vincere.

b ☐ Anche noi sappiamo che non è facile di vincere.

c ☐ Anche noi conosciamo che non è facile vincere.

d ☐ Anche noi conosciamo che è non facile vincere.

40. a ☐ Montale è la mia poeta preferita.

b ☐ Montale è mia poeta preferita.

c ☐ Montale è il mio poeta preferito.

d ☐ Montale è mio preferito poeta.

41. a ☐ Stamattina Aldo si è dovuto alzarsi alle sette.

b ☐ Stamattina Aldo si ha dovuto alzare alle sette.

c ☐ Stamattina Aldo è dovuto alzarsi alle sette.

d ☐ Stamattina Aldo si è dovuto alzare alle sette.

42. a ☐ Ci vorrà molto denaro per studiare all'estero.

b ☐ Ci volerà molto denaro per studiare all'estero.

c ☐ Ci vorrà molto denaro a studiare all'estero.

d ☐ Ci volerà molto denaro da studiare all'estero.

43. a ☐ Sa parlare bene alcune lingue.

   b ☐ Sa che parlare bene alcune lingue.

   c ☐ Conosce parlare bene alcune lingue.

   d ☐ Riesce parlare bene alcune lingue.

44. Hai qualcosa da bere?

   a ☐ No, purtroppo posso offrirti niente.

   b ☐ No, purtroppo non posso offrire qualcosa.

   c ☐ No, purtroppo non posso offrirti nulla.

   d ☐ No, purtroppo posso offrire nulla.

45. a ☐ Sono stanco, non ho voglia correre.

   b ☐ Sono stanco, non ho voglia a correre.

   c ☐ Sono stanco, non ho voglia di correre.

   d ☐ Sono stanco, non ho voglia per correre.

46. a ☐ Ho bisogno di alcune notizie su prodotti.

   b ☐ Ho bisogno di alcune notizie sui quei prodotti.

   c ☐ Ho bisogno di alcune notizie quei prodotti.

   d ☐ Ho bisogno di alcune notizie su quei prodotti.

47. a ☐ Quello scrittore è nato gli inizi del secolo scorso.

   b ☐ Quello scrittore è nato in inizi del secolo scorso.

   c ☐ Quello scrittore è nato agli inizi del secolo scorso.

   d ☐ Quello scrittore è nato con gli inizi dal secolo scorso.

48. a ☐ Sei proprio una brava bambina!

   b ☐ Sei propria una brava bambina!

   c ☐ Sei una propria brava bambina!

   d ☐ Sei proprio brava bambina!

49. a ☐ Qual era il titolo del libro che hai letto ultimamente?

   b ☐ Che era il titolo del libro che hai letto ultimamente?

   c ☐ Qual'era il titolo del libro che hai letto ultimamente?

   d ☐ Che cosa era il titolo del libro che hai letto ultimamente?

50. a ☐ Cerchiamo non sbagliare mai.

   b ☐ Cerchiamo da non sbagliare mai.

   c ☐ Cerchiamo di non sbagliare mai.

   d ☐ Cerchiamo a non sbagliare mai.

funzioni e atti comunicativi

51. Hai ricevuto all'ultimo momento l'invito all'inaugurazione di una mostra. L'accetti ma esprimi il tuo disappunto:

   a ☐ Per oggi va bene, ma la prossima volta non accetto l'invito.

   b ☐ Ricevo spesso inviti in ritardo.

   c ☐ Non capisco la ragione di questo invito.

   d ☐ È bello ricevere inviti anche se in ritardo.

52. È una persona che non ti piace. Ne parli con tua sorella.

   a ☐ La sopporto volentieri.

   b ☐ Vederla spesso non è un piacere.

   c ☐ Sto malvolentieri in sua compagnia.

   d ☐ Mi è difficile capirla.

53. Chiedi di continuare un racconto:

   a ☐ Va bene così, puoi non continuare.

   b ☐ Continua pure, ma il tuo racconto non è molto interessante.

   c ☐ Dai, prosegui il racconto!

   d ☐ Va bene, mi sembra una storia vecchia.

54. La professoressa chiede agli studenti se tutti hanno capito:

   a ☐ Posso ripetere la spiegazione?

   b ☐ È necessario scrivere le cose che ho detto?

   c ☐ Mi chiedo perché non avete capito.

   d ☐ Vi pregherei di dirmi se la spiegazione è chiara per tutti.

PROVE GRADUATE DI PROFITTO ITALIANO LS e L2   IV A • IV B

Le due prove di profitto, precedute dalla griglia 4 di controllo dell'autovalutazione e dalla griglia di autovalutazione, si basano su:

a) i primi 1500 elementi sia del *Vocabolario fondamentale della lingua italiana* di G. Sciarone sia del *Lessico di frequenza dell'italiano parlato* di T. De Mauro, F. Mancini, M. Vedovelli, M. Voghera;

b) le funzioni e gli atti comunicativi del *Livello soglia* di N. Galli de' Paratesi;

c) i seguenti argomenti grammaticali: **pronomi accoppiati nei tempi composti**; **imperativo con verbi regolari e irregolari**; **pronomi relativi**.

CONTROLLA COSA SAI FARE IN ITALIANO!

GRIGLIA 4 PER IL CONTROLLO DELL'AUTOVALUTAZIONE	S	N
→☺ **ASCOLTARE**		
Riesco a seguire una conversazione quotidiana se l'interlocutrice / interlocutore si esprime con chiarezza; a volte devo però chiedere di ripetere determinate parole ed espressioni.		
Riesco a seguire generalmente i punti principali di una conversazione di una certa lunghezza che si svolge in mia presenza, a condizione che si parli in modo chiaro e nella lingua standard.		
Riesco ad ascoltare brevi racconti e formulare ipotesi su quanto potrà accadere.		
Riesco a capire i punti principali di un notiziario radiofonico o di una semplice registrazione audio su argomenti familiari, purché si parli in modo relativamente lento e chiaro.		
☺← **LEGGERE**		
Riesco a capire i punti essenziali di brevi articoli di giornale su temi attuali e noti.		
Riesco a leggere su giornali o riviste commenti e interviste in cui qualcuno prende posizione su temi o avvenimenti di attualità e capire le argomentazioni fondamentali.		
Riesco a desumere dal contesto il significato di singole parole sconosciute, riuscendo così a capire il senso del discorso, se l'argomento mi è già noto.		
Riesco a scorrere velocemente brevi testi (per es.: notizie in breve) e trovare fatti e informazioni importanti (per es.: chi ha fatto qualcosa e dove).		
Capisco le informazioni più importanti di brevi, semplici pubblicazioni informative.		
Riesco a capire semplici comunicazioni o lettere (per es., di ditte, società o autorità.		
Nel caso di lettere private sono in grado di capire a sufficienza quello che viene scritto su avvenimenti, sentimenti o desideri, in modo tale da poter in seguito tenere una corrispondenza regolare con una persona.		
Capisco la trama di una storia ben strutturata, riconosco gli episodi e gli avvenimenti.		
☺↔☺ **PARTECIPARE A UNA CONVERSAZIONE**		
Riesco a iniziare, sostenere e terminare una conversazione semplice in situazioni di «faccia a faccia» su argomenti a me familiari o di interesse personale.		
Riesco a partecipare a una conversazione o una discussione, ma è possibile che non sempre mi si capisca bene quando cerco di esprimere ciò che vorrei veramente dire.		
So districarmi nella maggior parte delle situazioni che possono presentarsi per prenotare un viaggio presso un'agenzia oppure durante un viaggio.		
So chiedere la strada e capisco le indicazioni particolareggiate che mi vengono date.		
So esprimere sentimenti quali la sorpresa, la gioia, la tristezza, la curiosità e l'indifferenza.		
☺→ **PARLARE IN MODO COERENTE**		
Riesco a raccontare una storia.		
Riesco a raccontare nei particolari un'esperienza o un avvenimento e a descrivere sentimenti e reazioni.		
Riesco a descrivere sogni, speranze e obiettivi.		
Riesco a giustificare e spiegare brevemente le mie opinioni, i miei progetti e le mie azioni.		
Riesco a raccontare la trama di un film o di un libro e a descrivere le mie reazioni.		
✍ **SCRIVERE**		
Riesco a scrivere un testo semplice e coerente su temi diversi pertinenti alla sfera dei miei interessi ed esprimere opinioni e idee personali.		
Sono in grado di scrivere lettere personali ad amici o conoscenti, chiedendo o raccontando novità o informando su cose successe.		
In una lettera personale riesco a raccontare trama di un libro o di un film.		
In una lettera riesco ad esprimere sentimenti come tristezza, gioia, interesse, simpatia o rincrescimento.		
A seguito della lettura di annunci e pubblicità, so richiedere informazioni supplementari o più precise su prodotti (per es.: su un'automobile o un corso).		
Riesco a trasmettere o richiedere per fax, e-mail, o tramite un foglietto informativo, brevi e semplici informazioni specialistiche ad amici o collaboratori.		
Riesco a scrivere un curriculum vitae sotto forma di modulo.		

Angelo Chiuchiù - Gaia Chiuchiù - Eleonora Coletti - Gézáné Doró - Katalin Doró

INIZIA I TEST CHE SEGUONO SE TI RICONOSCI NELLA DESCRIZIONE EVIDENZIATA!

GRIGLIA PER L'AUTOVALUTAZIONE	A1	A2	B1
CAPIRE — ASCOLTARE	Sono in grado di capire espressioni che mi sono familiari o anche frasi molto semplici, concernenti la mia persona, la famiglia, le cose concrete attorno a me, a condizione che si parli lentamente e in modo ben articolato.	Sono in grado di capire singole frasi e parole usate molto correntemente, purché si tratti di cose che sono importanti per me, ad esempio, informazioni semplici che riguardano la mia persona, la famiglia, le spese, il lavoro e l'ambiente circostante. Capisco inoltre l'essenziale di un messaggio o di un annuncio semplice, breve e chiaro.	Sono in grado di capire i punti essenziali di un discorso, a condizione che venga usata una lingua standard chiara che tratta argomenti familiari inerenti al lavoro, alla scuola, al tempo libero ecc. Sono in grado di trarre l'informazione principale da molti programmi radiofonici o televisivi su avvenimenti di attualità o su argomenti che riguardano la mia sfera professionale o di interessi, a condizione che si parli in modo articolato, relativamente lento e chiaro.
LEGGERE	Sono in grado di capire singoli nomi e parole che mi sono familiari nonché frasi molto semplici come, ad esempio, quelle sulle insegne, sui manifesti o sui cataloghi.	Sono in grado di leggere un testo molto breve e semplice, di individuare informazioni concrete e prevedibili in testi quotidiani semplici (per esempio, un annuncio, un prospetto, un menu o un orario); sono inoltre in grado di capire una lettera personale semplice e breve.	Sono in grado di capire un testo in cui si usa soprattutto un linguaggio molto corrente o relativo alla professione esercitata. Sono in grado di capire la descrizione di eventi, sentimenti e desideri in lettere personali.
PARLARE — PARTECIPARE A UNA CONVERSAZIONE	Sono in grado di esprimermi in maniera semplice, a condizione che l'interlocutrice o l'interlocutore sia disposta/o a ripetere certe cose in modo più lento o riformularle diversamente aiutandomi così a formulare quello che vorrei dire. Sono in grado di rispondere a domande semplici e di porne in situazioni di necessità immediata o su argomenti che mi sono molto familiari.	Sono in grado di comunicare in una situazione semplice e abituale che consiste in uno scambio semplice e diretto di informazioni che riguardano temi e attività a me familiari. Sono in grado di gestire scambi sociali molto brevi anche se di solito non comprendo abbastanza per poter condurre personalmente la conversazione.	Sono in grado di districarmi nella maggior parte delle situazioni linguistiche riscontrate nei viaggi nella regione in cui si parla la lingua. Sono in grado di partecipare senza preparazione a una conversazione su argomenti che mi sono familiari o che riguardano i miei interessi oppure che concernono la vita di ogni giorno, come la famiglia, gli hobby, il lavoro, i viaggi o avvenimenti attuali.
PARLARE IN MODO COERENTE	Sono in grado di utilizzare espressioni e frasi semplici per descrivere le persone che conosco e dove abito.	Sono in grado di descrivere – usando una serie di frasi e con mezzi linguistici semplici – la mia famiglia, le altre persone, la mia formazione, il mio lavoro attuale o l'ultima attività svolta.	Sono in grado di parlare usando frasi semplici e coerenti per descrivere esperienze, eventi, i miei sogni, speranze o obiettivi. Sono in grado di spiegare e di motivare brevemente le mie opinioni e i miei progetti. Sono in grado di raccontare una storia oppure la trama di un libro o di un film e di descrivere le mie reazioni.
SCRIVERE — SCRIVERE	Sono in grado di scrivere una cartolina semplice e breve con, p.es.: i saluti dalle vacanze. Sono inoltre in grado di compilare un modulo come, per esempio, quello degli alberghi con le mie generalità (nome, indirizzo, nazionalità ecc.).	Sono in grado di scrivere un appunto o una comunicazione breve e semplice nonché una lettera personale molto semplice, ad esempio, per porgere i miei ringraziamenti.	Sono in grado di scrivere un testo semplice e coerente su argomenti che mi sono familiari o che mi interessano personalmente nonché lettere personali riferendo esperienze e descrivendo impressioni.

B2	C1	C2	
Sono in grado di capire interventi di una certa lunghezza e conferenze seguendo anche un'argomentazione complessa, a condizione che gli argomenti mi siano abbastanza familiari. Sono in grado di capire alla televisione la maggior parte dei notiziari e dei servizi giornalistici d'attualità. Sono in grado di capire la maggior parte dei film, a condizione che si parli un linguaggio standard.	Sono in grado di seguire interventi di una certa lunghezza, anche se non sono strutturati chiaramente e anche se le relazioni contestuali non sono esposte esplicitamente. Sono in grado di capire senza grande fatica un programma televisivo o un film.	Non ho nessuna difficoltà a capire la lingua parlata sia dal vivo che dai mezzi d'informazione, anche quando si parla velocemente. Ho solo bisogno di un po' di tempo per abituarmi a un accento particolare.	
Sono in grado di leggere e di capire un articolo o un rapporto su questioni d'attualità in cui l'autrice o l'autore sostiene particolari atteggiamenti o punti di vista. Sono in grado di capire un testo letterario contemporaneo in prosa.	Sono in grado di capire un testo specialistico lungo e complesso nonché uno letterario e di percepirne le differenze stilistiche. Sono in grado di capire un articolo specialistico e istruzioni tecniche di una certa lunghezza, anche se non rientrano nel campo della mia specializzazione.	Sono in grado di capire senza sforzo praticamente tutti i tipi di testi scritti, anche se sono astratti o complessi dal punto di vista del linguaggio e del contenuto, per esempio, un manuale, un articolo specialistico o un'opera letteraria.	
Sono in grado di comunicare con un grado di scorrevolezza e spontaneità tali da permettere abbastanza facilmente una conversazione normale con un'interlocutrice o un interlocutore di lingua madre. Sono in grado di partecipare attivamente a una discussione in situazioni a me familiari e di esporre e motivare le mie opinioni.	Sono in grado di esprimermi in modo scorrevole e spontaneo, senza dare troppo spesso la chiara impressione di dover cercare le parole. Sono in grado di usare la lingua con efficacia e flessibilità nella vita sociale e professionale. Sono in grado di esprimere i miei pensieri e le mie opinioni con precisione e di associare con abilità i miei interventi con quelli di altri interlocutori.	Sono in grado di partecipare senza sforzo a qualsiasi conversazione o discussione e ho familiarità con le espressioni idiomatiche e il linguaggio corrente. Sono in grado di esprimermi correntemente e di evidenziare con precisione sfumature più sottili di senso. Quando incontro difficoltà di espressione sono in grado di riprendere e riformularla in maniera così abile che chi mi ascolta non se ne accorge.	
Sono in grado di fornire descrizioni chiare e particolareggiate su molti temi inerenti alla sfera dei miei interessi e sono inoltre in grado di commentare un punto di vista su una questione di attualità, indicando i vantaggi e gli inconvenienti delle diverse opzioni.	Sono in grado di descrivere in maniera chiara e circostanziata fatti complessi, collegandone i punti tematici, esponendo aspetti particolari e concludendo il mio contributo in modo adeguato.	Sono in grado di esporre fatti in modo chiaro, scorrevole e stilisticamente adatto alla situazione. Sono in grado di strutturare la mia presentazione in modo logico, facilitando così a chi ascolta il compito di riconoscere e di fissare nella mente i punti importanti.	
Sono in grado di scrivere testi chiari e dettagliati su numerosi argomenti inerenti alla sfera dei miei interessi e di riportare informazioni in un testo articolato o in un rapporto o di esporre gli argomenti pro e contro un determinato punto di vista. Sono in grado di scrivere lettere in cui rendo esplicito il significato personale di avvenimenti ed esperienze.	Sono in grado di esprimermi per iscritto in maniera chiara e ben strutturata nonché di esporre in modo circostanziato le mie opinioni. Sono in grado di trattare un tema complesso in una lettera, in un testo articolato o in un rapporto e di sottolineare gli aspetti che considero essenziali. Nei miei testi scritti sono in grado di scegliere lo stile che più si addice a chi legge.	Sono in grado di scrivere testi chiari, scorrevoli e stilisticamente adatti ad ogni circostanza. Sono in grado di redigere una lettera esigente, un rapporto lungo o un articolo su questioni complesse e strutturarli con chiarezza per permettere a chi legge di capire e ricordare i punti salienti. Sono in grado di riassumere e criticare per iscritto testi specialistici e letterari.	

IV A

GIORNO	MESE	ANNO

1. a ☐ Se ti inviterà, verrai te anche?
    b ☐ Se ti inviterà, verrai anche tu?
    c ☐ Se ti inviterà, verrai tu anche?
    d ☐ Se ti inviterà, anche verrai tu?

2. a ☐ L'anno scorso sono andati a montagna,
       quest'estate ci torneranno.
    b ☐ L'anno scorso sono andati in montagna,
       quest'estate torneranno.
    c ☐ L'anno scorso sono andati alla montagna,
       quest'estate ci torneranno.
    d ☐ L'anno scorso sono andati in montagna,
       quest'estate ci torneranno.

3. a ☐ Perché non sono venuti? Perché non sono potuti.
    b ☐ Perché non sono venuti? Perché non hanno potuti.
    c ☐ Perché non sono venuti? Perché non hanno potuto.
    d ☐ Perché non sono venuti? Perché non l'hanno potuto.

4. a ☐ Dove hai meso il libro che avevi in mano?
    b ☐ Dove hai messo il libro che avevi in mano?
    c ☐ Dove hai messo il libro che hai avuto in mano?
    d ☐ Dove hai messo il libro che hai in mano?

5. a ☐ Ho saputo solo ieri che tu avevi rifiutato quel
       posto di lavoro.
    b ☐ Ho saputo solo ieri che tu hai rifiutato quel
       posto di lavoro.
    c ☐ Sapevo solo ieri che tu rifiutavi quel posto di
       lavoro.
    d ☐ Sapevo solo ieri che tu avevi rifiutato quel posto
       di lavoro.

6. a ☐ La macchina con che sono andato a Roma è di
       mio padre.
    b ☐ La macchina con quale sono andato a Roma è
       di mio padre.
    c ☐ La macchina con cui sono andato a Roma è di
       mio padre.
    d ☐ La macchina con la cui sono andato a Roma è
       di mio padre.

7. a ☐ Ti presento l'amico che ti ho parlato.
    b ☐ Ti presento l'amico chi ti ho parlato.
    c ☐ Ti presento l'amico di chi ti ho parlato.
    d ☐ Ti presento l'amico di cui ti ho parlato.

8. a ☐ Cerca di non dimenticare ciò che ti ho insegnato.
    b ☐ Cerca di non dimenticare quello ti ho insegnato.
    c ☐ Cerca di non dimenticare quanto che ti ho insegnato.
    d ☐ Cerca di non dimenticare ciò ti ho insegnato.

9   a ☐ Aiuto a chi ne ha bisogno.
    b ☐ Aiuto chi ne ha bisogno.
    c ☐ Aiuto quale ne ha bisogno.
    d ☐ Aiuto a coloro che ne hanno bisogno.

10. a ☐ Quanto hai detto è vero.
    b ☐ Ciò hai detto è vero.
    c ☐ Quello hai detto è vero.
    d ☐ Quanto che hai detto è vero.

11. a ☐ Fa ciò tu vuoi, ma fallo subito!
    b ☐ Fa che vuoi, ma fallo subito!
    c ☐ Fa quanto che vuoi, ma fallo subito!
    d ☐ Fa quello che vuoi, ma fallo subito!

12. a ☐ Gli studenti, che ho corretto i compiti ieri, sono
       stranieri.
    b ☐ Gli studenti, a cui ho corretto i compiti ieri, sono
       stranieri.
    c ☐ Gli studenti, di cui ho corretti i compiti ieri, sono
       stranieri.
    d ☐ Gli studenti, per cui ho corretto i compiti ieri,
       sono stranieri.

13. a ☐ Erano tutti presenti, eccetto di te.
    b ☐ Erano tutti presenti, eccetto te.
    c ☐ Erano tutti presenti, eccetto tu.
    d ☐ Erano tutti presenti, eccetto che tu.

14. a ☐ Si è avvicinato me e mi ha salutato.
    b ☐ Si è avvicinato a me e me ha salutato.
    c ☐ Si mi è avvicinato e mi ha salutato.
    d ☐ Si è avvicinato a me e mi ha salutato.

15. a ☐ Andrò volentieri di loro se mi invitano.

b ☐ Andrò volentieri a loro se mi invitano.

c ☐ Andrò volentieri tra loro se mi invitano.

d ☐ Andrò volentieri da loro se mi invitano.

16. a ☐ Ne pensi tu o ne penso io?

b ☐ Pensi tu o penso io?

c ☐ Ci pensi tu o ci penso io?

d ☐ Ci pensi tu o penso io?

17. a ☐ Quel signore parla spesso tra sé e sé.

b ☐ Quel signore parla spesso tra lui e lui.

c ☐ Quel signore parla spesso tra sé e egli.

d ☐ Quel signore parla spesso tra sé e lui.

18. a ☐ Ti ho chiamato, perché so che te sei bravo.

b ☐ Ho chiamato te, perché so che tu sei bravo.

c ☐ Ho chiamato tu, perché so che te sei bravo.

d ☐ Ho chiamato te, perché so che ti sei bravo.

19. a ☐ Siamo stati da Marco e veniamo proprio ora.

b ☐ Siamo stati da Marco e da ne veniamo proprio ora.

c ☐ Siamo stati da Marco e ne veniamo proprio ora.

d ☐ Siamo stati da Marco e ci veniamo proprio ora.

20. a ☐ Perché andate senza salutare?

b ☐ Perché vi andate senza salutare?

c ☐ Perché ve ne andate senza salutare?

d ☐ Perché ne andate senza salutare?

21. a ☐ Rimanerebbero ancora un po' a letto.

b ☐ Rimarrebbero ancora un po' a letto.

c ☐ Rimarebbero ancora un po' a letto.

d ☐ Rimarrebero ancora un po' a letto.

22. a ☐ Bambini, lasciare stare quel gatto!

b ☐ Bambini, lasciate stare quel gatto!

c ☐ Bambini, lasciano stare quel gatto!

d ☐ Bambini, lascino stare quel gatto!

23. a ☐ Se vuoi chiudere la finestra, chiuderla!

b ☐ Se vuoi chiudere la finestra, la chiuda!

c ☐ Se vuoi chiudere la finestra, la chiudi!

d ☐ Se vuoi chiudere la finestra, chiudila!

24. a ☐ Se passerò da Roma, mi fermerò a salutare tua zia.

b ☐ Se passerò da Roma, mi fermerò a salutare la tua zia.

c ☐ Se passerò da Roma, fermerò a salutare tua zia.

d ☐ Se passerò da Roma, fermerò a salutare la tua zia.

25. Dovreste dire sempre la verità ai vostri genitori:

a ☐ Diteli sempre la verità!

b ☐ Ditegli sempre la verità!

c ☐ Li dite sempre la verità!

d ☐ Gli dite sempre la verità!

26. a ☐ Non temi! Noi ti aiuteremo.

b ☐ Non tema! Noi ti aiuteremo.

c ☐ Non temere! Noi ti aiuteremo.

d ☐ Non temo! Noi ti aiuteremo.

27. a ☐ Dopo che avremo esaminato la loro proposta, decideremo.

b ☐ Dopo che esamineremo la loro proposta, decideremo.

c ☐ Dopo che esaminato la loro proposta, decideremo.

d ☐ Dopo che esamineremo la loro proposta, avremo deciso.

28. a ☐ Vieni subito qui perché ti devo parlare.

b ☐ Vieni subito là perché ti devo parlare.

c ☐ Vieni subito qui perché devo parlare.

d ☐ Vieni subito lì perché devo parlare.

29. a ☐ Loro stiano tranquillo: penserò io a tutto.

b ☐ Loro state tranquilli: penserò io a tutto.

c ☐ Loro stiano tranquilli: penserò io a tutto.

d ☐ Tranquilli loro stanno: penserò io a tutto.

30. a ☐ Ho camminato troppo; non più posso dalla stanchezza.

b ☐ Ho camminato troppo; non posso più dalla stanchezza.

c ☐ Ho camminato troppo; non ne posso più dalla stanchezza.

d ☐ Ho camminato troppo; ne posso più dalla stanchezza.

31. a ☐ Non è un problema di facile soluzione. Sediamoci e parliamone!

b ☐ Non è un problema di facile soluzione. Sediamoci e ne parliamo!

c ☐ Non è un problema di facile soluzione. Ci sediamo e parliamone!

d ☐ Non è un problema di facile soluzione. Ci sediamoci e ne parliamo!

32. a ☐ Ci converrà a viaggiare di notte.

b ☐ Ci converrà di viaggiare di notte.

c ☐ Noi converremo viaggiare di notte.

d ☐ Ci converrà viaggiare di notte.

33. a ☐ Erano care queste poltrone, ma siccome mi piacevano tanto, le ho comprate.

b ☐ Erano care queste poltrone, ma mi piacevano tanto, ho comprate.

c ☐ Erano care queste poltrone, ma così mi piacevano tanto, ho comprato.

d ☐ Erano care queste poltrone, ma sebbene mi piacevano tanto, le ho comprate.

34. a ☐ Niente potrà fermarmi.

b ☐ Non niente potrà fermarmi.

c ☐ Niente non potrà fermarmi.

d ☐ Potrà niente fermarmi.

35. a ☐ Di persone così gentili non conosco molto.

b ☐ Di persone così gentili non conosco molte.

c ☐ Di persone così gentili non ne conosco molto.

d ☐ Di persone così gentili non ne conosco molte.

36. a ☐ Non voglio più vederti; fra me e te tutto è finito!

b ☐ Non ti voglio più vedere; in me e te tutto è finito!

c ☐ Non voglio più vederti; con me e te tutto è finito!

d ☐ Non voglio più vederti; da me e te tutto è finito!

37. a ☐ Roma in estate è piena con la gente; è quasi impossibile girare nelle strade.

b ☐ Roma in estate è piena di gente; è quasi impossibile girare per le strade.

c ☐ Roma in estate è piena di gente; è quasi impossibile girare sulle strade.

d ☐ Roma in estate è piena con gente; è quasi impossibile girare per le strade.

38. a ☐ Per favore, vorrei cambiare questi dollari per euro.

b ☐ Per favore, vorrei cambiare questi dollari nell'euro.

c ☐ Per favore, vorrei cambiare questi dollari in euro.

d ☐ Per favore, vorrei cambiare questi dollari all'euro.

39. a ☐ La prego, dottore, si accomodi, non stare in piedi!

b ☐ La prego, dottore, si accomodi, non stia in piedi!

c ☐ La prego, dottore, si accomodi, non stia a piedi!

d ☐ La prego, dottore, si accomodi, non stare a piedi!

40. Sono meravigliose queste fotografie.

a ☐ Me le ha inviate Anna.

b ☐ Mi ha inviate Anna.

c ☐ Mi ha inviato Anna.

d ☐ Mi le ha inviate Anna.

41. Quando presenti quegli amici a tuo padre?

a ☐ Li ho già presentato.

b ☐ Glieli ho già presentati.

c ☐ Gli ho già presentato.

d ☐ Li ho già presentati.

42. a ☐ Il livello del fiume è calato molto fino i mesi caldi.

b ☐ Il livello del fiume è calato molto fra i mesi caldi.

c ☐ Il livello del fiume è calato molto intorno i mesi caldi.

d ☐ Il livello del fiume è calato molto durante i mesi caldi.

43. a ☐ Sto molto meglio perché mi ho potuto riposare qualche giorno.

b ☐ Sto molto meglio perché sono potuto riposarmi qualche giorno.

c ☐ Sto molto meglio perché mi sono potuto riposarmi qualche giorno.

d ☐ Sto molto meglio perché ho potuto riposarmi qualche giorno.

44. a ☐ Questa regione ha un clima troppo fredda.

b ☐ Questa regione ha un clima troppa freddo.

c ☐ Questa regione ha un clima troppo freddo.

d ☐ Questa regione ha una clima troppa fredda.

45. a ☐ Noi disegniamo bene, anche voi disegnate bene?

b ☐ Noi disegniamo bene, anche voi disegniate bene?

c ☐ Noi disegnamo bene, anche voi disegniate bene?

d ☐ Noi disegnamo bene, anche voi disegnate bene?

46. a ☐ Di quale colore è le tue scarpe nuove?

b ☐ Di che colore sono le tue scarpe nuove?

c ☐ Come colore sono le tue scarpe nuove?

d ☐ Quale colore sono le tue scarpe nuove?

47. a ☐ Non ho comprato quel vestito mentre costava troppo.

b ☐ Non ho comprato quel vestito benché costava troppo.

c ☐ Non ho comprato quel vestito perché costava troppo.

d ☐ Non ho comprato quel vestito perciò costava troppo.

48. a ☐ Dovresti smettere di fumare.

b ☐ Dovresti smettere fumare.

c ☐ Dovresti smettere con fumare.

d ☐ Dovresti smettere a fumare.

49. a ☐ Mi piacerebbe a comunicarvi qualche bella notizia.

b ☐ Mi piacerebbe comunicarvi qualche bella notizia.

c ☐ Mi piacerei comunicarvi qualche bella notizia.

d ☐ Mi piacerebbe da comunicarvi qualche bella notizia.

50. a ☐ Ho cominciato studiare l'italiano quando sono stato bambino.

b ☐ Ho cominciato a studiare l'italiano quando sono stato bambino.

c ☐ Cominciavo a studiare l'italiano quando ero bambino.

d ☐ Ho cominciato a studiare l'italiano quando ero bambino.

51. Una tua amica arriva a casa tua. Le chiedi quanti giorni può rimanere:

a ☐ Quando ti andrebbe di ritornare a casa?

b ☐ Come mai non hai scritto prima di venire?

c ☐ Quanto tempo puoi fermarti?

d ☐ Vuoi tornare più tardi?

52. Alla lezione di lingua il professore chiede ad una studentessa di ripetere la domanda:

a ☐ Signorina, ti dispiacerebbe di ripetere la domanda?

b ☐ Signorina, Le dispiacerebbe ripetere la domanda?

c ☐ Secondo te, sarebbe facile ripetere la domanda?

d ☐ Signorina, Le piacerebbe ripetere la domanda?

53. I nonni chiedono al nipote che cosa vorrebbe fare da grande:

a ☐ Il diploma ti sarà utile per il tuo futuro?

b ☐ Sai che potrebbe non essere facile trovare lavoro alla fine del corso?

c ☐ Che cosa ti piacerebbe fare quando avrai finito gli studi?

d ☐ Per quanti anni frequenterai questa scuola?

54. Un amico ti invita ad una cena con i vecchi compagni di classe. Che cosa gli rispondi?

a ☐ Grazie, ma dovrei andare a casa.

b ☐ Non ho tempo da perdere.

c ☐ Prenderei qualcosa, ma sono a dieta.

d ☐ Grazie, sarò lieto di essere tra voi stasera.

55. Sei andato a prendere un caffè con tre amici e vuoi pagare per tutti:

a ☐ Permettetemi di offrire la consumazione a tutti.

b ☐ Questa volta facciamo alla romana, se siete d'accordo.

c ☐ Sapete che sono benestante, potrei pagare per tutti.

d ☐ Ho appena ritirato lo stipendio, sono in grado di pagare per tutti e di lasciare la mancia.

56. Come esprimi la sensazione di avere dimenticato tutto?

a ☐ Sono sicuro che non mi sono dimenticato di niente.

b ☐ Temo che non mi ricordo di tutto.

c ☐ Ora mi sembra tutto chiaro.

d ☐ Mi pare di non ricordarmi di niente.

57. Un collega ti chiede un favore. Sei lieto di farglielo e rispondi:

a ☐ Come mai me lo chiedi?

b ☐ Ti prometto che farò tutto ciò che ti serve.

c ☐ Perché no, te lo faccio molto volentieri.

d ☐ È l'ennesima volta che mi chiedi un favore.

58. Incontri un vecchio amico di scuola che non vedi da tanto tempo. Gli chiedi se è contento del suo posto di lavoro:

a ☐ Ti trovi bene nel tuo ufficio?

b ☐ Sono belle le cose che produce la fabbrica dove lavori?

c ☐ Saresti contento di trovare un lavoro vicino a casa tua?

d ☐ Perché vorresti trovare un altro impiego?

59. Sei su un autobus. Devi andare in ospedale a trovare un amico malato, ma non sai dove devi scendere. Chiedi informazione alla signora che sta seduta accanto a te:

a ☐ Scusi, Lei va spesso in ospedale?

b ☐ Signora, è lontano l'ospedale?

c ☐ Senta, potrebbe dirmi qual è la fermata più vicina all'ospedale?

d ☐ Mi scusi, questo autobus va verso l'ospedale?

60. Una giovane mamma raccomanda al figlio di essere educato a scuola:

a ☐ A scuola devi fare sempre attenzione.

b ☐ Non si deve disturbare durante le lezioni.

c ☐ Comportati bene con tutti, in aula e fuori.

d ☐ Quando entri in classe, mi raccomando, togliti il cappello.

IV B

GIORNO	MESE	ANNO

1. a ☐ Ha chiesto aiuto i genitori.
   b ☐ Ha chiesto aiuto a genitori.
   c ☐ Ha chiesto aiuto genitori.
   d ☐ Ha chiesto aiuto ai genitori.

2. Mi piace la tua camicia.
   a ☐ Chi ti ha scelto?
   b ☐ Chi te l'ha scelto?
   c ☐ Chi te l'ha scelta?
   d ☐ Chi ti ha scelta?

3. a ☐ Non aveva né giornali e riviste.
   b ☐ Non aveva né giornali o riviste.
   c ☐ Non aveva né giornali né riviste.
   d ☐ Non aveva né giornali oppure riviste.

4. a ☐ La ragazza ha rotto un bicchiere e si è ferita alla mano.
   b ☐ La ragazza è rotta un bicchiere e si è ferita alla mano.
   c ☐ La ragazza ha rotto un bicchiere e si era ferita alla mano.
   d ☐ La ragazza ha rotto un bicchiere e si feriva alla mano.

5. a ☐ Dovremmo ci mettere d'accordo sulla data della partenza.
   b ☐ Dovremmo metterci d'accordo sulla data della partenza.
   c ☐ Dovremmo metterci l'accordo sulla data della partenza.
   d ☐ Dovremmo mettere accordo sulla data della partenza.

6. a ☐ Non alzarti! Hanno chiamato me, non te.
   b ☐ Non alzarti! Hanno chiamato a me, non a te.
   c ☐ Non alzarti! Mi hanno chiamato, non te.
   d ☐ Non alzarti! Mi hanno chiamato, non a te.

7. a ☐ Abbiamo cercato a lungo le chiavi, ed ecco, l'abbiamo trovato finalmente.
   b ☐ Abbiamo cercato a lungo le chiavi, ed ecco, le abbiamo trovate finalmente.
   c ☐ Cercavamo a lungo le chiavi, ed ecco, abbiamo trovato finalmente.
   d ☐ Cercavamo a lungo le chiavi, ed ecco, le abbiamo trovato finalmente.

8. a ☐ Carlo prende sempre due giornali: uno per il nonno, uno per se.
   b ☐ Carlo prende sempre due giornali: uno per il nonno, uno per sé.
   c ☐ Carlo prende sempre due giornali: uno al nonno, uno a sé.
   d ☐ Carlo prende sempre due giornali: uno per il nonno, uno per sè.

9. a ☐ Non sono rimasti fino a tarda notte, se ne sono dovuti andare.
   b ☐ Non sono rimasti fino a tarda notte, se ne hanno dovuto andare.
   c ☐ Non hanno rimasto fino a tarda notte, hanno dovuto andarsene.
   d ☐ Non sono rimasti fino a tarda notte, sono dovuti andarse.

10. a ☐ La poltrona su che stai seduto è di mia nonna.
    b ☐ La poltrona sul cui stai seduto è di mia nonna.
    c ☐ La poltrona su cui stai seduto è di mia nonna.
    d ☐ La poltrona su quale stai seduto è di mia nonna.

11. a ☐ I consigli che a ti do, sono il frutto della mia esperienza.
    b ☐ I consigli che ti do, sono il frutto della mia esperienza.
    c ☐ I consigli quali ti do, sono il frutto della mia esperienza.
    d ☐ I consigli cui ti do, sono il frutto della mia esperienza.

12. a ☐ Non nessuno è venuto a ritirare quel pacco.
    b ☐ Nessuno non è venuto a ritirare quel pacco.
    c ☐ È venuto nessuno a ritirare quel pacco.
    d ☐ Non è venuto nessuno a ritirare quel pacco.

13. a ☐ Quei ragazzi sono stati gentili a me, loro voglio invitare a cena.

b ☐ Quei ragazzi sono stati gentili con me, voglio li invitare a cena.

c ☐ Quei ragazzi sono stati gentili per me, voglio invitargli a cena.

d ☐ Quei ragazzi sono stati gentili con me, voglio invitarli a cena.

14. a ☐ Non vedo da parecchio tempo i miei nipoti chi vivono a Torino.

b ☐ Non vedo da parecchio tempo i miei nipoti che vivono a Torino.

c ☐ Non vedo da parecchio tempo miei nipoti i quali vivono a Torino.

d ☐ Non vedo da parecchio tempo miei nipoti che vivono a Torino.

15. a ☐ Conosco anch'io quello conosci tu.

b ☐ Conosco anch'io colui conosci tu.

c ☐ Conosco anch'io a chi conosci tu.

d ☐ Conosco anch'io chi conosci tu.

16. a ☐ Il giorno a quando verrò a trovarvi, vi parlerò del mio ultimo viaggio.

b ☐ Il giorno a quale verrò a trovarvi, vi parlerò del mio ultimo viaggio.

c ☐ Il giorno in cui verrò a trovarvi, vi parlerò del mio ultimo viaggio.

d ☐ Il giorno nel cui verrò a trovarvi, vi parlerò del mio ultimo viaggio.

17. a ☐ Non siamo pronti per partire con te: ci mancano ancora tante cose.

b ☐ Non siamo pronti per partire con te: manchiamo ancora tante cose.

c ☐ Non siamo pronti per partire con te: mancano ancora tante cose.

d ☐ Non siamo pronti per partire con te: ci manchiamo ancora tante cose.

18. a ☐ Laura ha molta fiducia nella se stessa.

b ☐ Laura ha molta fiducia in se stessa.

c ☐ Laura ha molta fiducia a lei stessa.

d ☐ Laura ha molta fiducia in sè stessa.

19. a ☐ Non posso più di lui, tanto è stupido.

b ☐ Non ne posso più di lui, tanto è stupido.

c ☐ Non ne posso più a lui, tanto è stupido.

d ☐ Non posso più con lui, tanto è stupido.

20. a ☐ Lei è un'amica di cui amicizia mi è molto preziosa.

b ☐ Lei è un'amica della quale amicizia mi è molto preziosa.

c ☐ Lei è un'amica cui amicizia mi è molto preziosa.

d ☐ Lei è un'amica la cui amicizia mi è molto preziosa.

21. a ☐ Dalli il tuo aiuto, perché ne hai bisogno.

b ☐ Da' il tuo aiuto, perché ha bisogno.

c ☐ Dagli il tuo aiuto, perché ne ha bisogno.

d ☐ Dagli il tuo aiuto, perché hai bisogno.

22. a ☐ Ha un brutto carattere, allora è un ragazzo intelligente.

b ☐ Ha un brutto carattere, tuttavia è un ragazzo intelligente.

c ☐ Ha un brutto carattere, perché è un ragazzo intelligente.

d ☐ Ha un brutto carattere, quindi è un ragazzo intelligente.

23. Dovete alzarvi presto la mattina.

a ☐ Alzarvi presto la mattina!

b ☐ Alzatevi presto la mattina!

c ☐ Vi alzate presto la mattina!

d ☐ Alzate voi presto la mattina!

24. a ☐ Se vedi Gina, dille che l'aspettiamo!

b ☐ Se vedi Gina, le di' che l'aspettiamo!

c ☐ Se vedi Gina, le dici che l'aspettiamo!

d ☐ Se vedi Gina, di' che l'aspettiamo!

25. a ☐ Mi hanno chiesto notizie di Giorgio, ma io ne so nulla.

b ☐ Mi hanno chiesto notizie di Giorgio, ma io nulla non ne so.

c ☐ Mi hanno chiesto notizie di Giorgio, ma io non ne so nulla.

d ☐ Mi hanno chiesto notizie di Giorgio, ma io nulla ne non so.

26. a ☐ Anna, non mettiti quell'abito, ti sta male.

   b ☐ Anna, non ti metti quell'abito, ti sta male.

   c ☐ Anna, non ti metta quell'abito, ti sta male.

   d ☐ Anna, non metterti quell'abito, ti sta male.

27. a ☐ Se puoi farmi questo favore, fallo subito!

   b ☐ Se puoi farmi questo favore, fammelo subito!

   c ☐ Se puoi farmi questo favore, fammi subito!

   d ☐ Se puoi farmi questo favore, mi fa' subito!

28. a ☐ Tu che hai visto quel film, lo consigli?

   b ☐ Tu che hai visto quel film, ci consigli?

   c ☐ Tu che hai visto quel film, celo consigli?

   d ☐ Tu che hai visto quel film, ce lo consigli?

29. a ☐ Parlino pure quando vogliono!

   b ☐ Parlano pure quando vogliono!

   c ☐ Pure parlano quando vogliono!

   d ☐ Pure parlino quando vogliono!

30. a ☐ Come insistono, non sarà facile rifiutare l'invito.

   b ☐ Visto insistono, non sarà facile rifiutare l'invito.

   c ☐ Siccome insistono, non sarà facile rifiutare l'invito.

   d ☐ Ecco insistono, non sarà facile rifiutare l'invito.

31. a ☐ Veni signorina, ti offro un caffè.

   b ☐ Venga signorina, gli offro un caffè.

   c ☐ Vieni signorina, offro un caffè.

   d ☐ Venga signorina, Le offro un caffè.

32. a ☐ Se vuoi risparmiare, ti conviene di aspettare i saldi di fine stagione.

   b ☐ Se vuoi risparmiare, ti conviene aspettare i saldi di fine stagione.

   c ☐ Se vuoi risparmiare, ti convieni aspettare i saldi di fine stagione.

   d ☐ Se vuoi risparmiare, ti convieni ad aspettare i saldi di fine stagione.

33. a ☐ Amico mio, di pure quello che pensi.

   b ☐ Amico mio, dì pure quello che pensi.

   c ☐ Amico mio, dici pure quello che pensi.

   d ☐ Amico mio, di' pure quello che pensi.

34. a ☐ Abbiamo cercato una casa come vostra, ma non abbiamo trovato.

   b ☐ Abbiamo cercato una casa come la vostra, ma non l'abbiamo trovata.

   c ☐ Abbiamo cercato una casa come vostra, ma non l'abbiamo trovato.

   d ☐ Abbiamo cercato una casa come vostra, ma non abbiamo trovata.

35. a ☐ Marco, non preoccupati e non preoccupasi neanche Lei, signora!

   b ☐ Marco, non ti preoccupa e non si preoccupa neanche Lei, signora!

   c ☐ Marco, non preoccuparti e non preoccuparsi neanche Lei, signora!

   d ☐ Marco, non preoccuparti e non si preoccupi neanche Lei, signora!

36. a ☐ Ieri era domenica e Fabio ha dormito fino alle dieci perché la sera prima era andato a letto tardi.

   b ☐ Ieri era domenica e Fabio dormiva fino alle dieci perché la sera prima andava a letto tardi.

   c ☐ Ieri era domenica e Fabio ha dormito fino alle dieci perché la sera prima è andato a letto tardi.

   d ☐ Ieri era domenica e Fabio aveva dormito fino alle dieci perché la sera prima era andato a letto tardi.

37. a ☐ Ho molto fame, mangerei qualcosa di buono.

   b ☐ Ho troppo fame, mangerei qualcosa di buono.

   c ☐ Ho così fame, mangerei qualcosa di buono.

   d ☐ Ho tanta fame, mangerei qualcosa di buono.

38. a ☐ Ho spiegato la regola agli studenti e la ho ripetuta più volte.

   b ☐ Ho spiegato la regola agli studenti e gliel'ho ripetuta più volte.

   c ☐ Ho spiegato la regola agli studenti e ho ripetuto più volte.

   d ☐ Ho spiegato la regola agli studenti e gli ho ripetuto più volte.

39. Quanti incontri avete organizzato in questi giorni?

   a ☐ Ne abbiamo organizzati parecchi.

   b ☐ Parecchi abbiamo organizzato.

   c ☐ Parecchi abbiamo organizzati.

   d ☐ Ne abbiamo organizzato parecchio.

40. a ☐ Lo spettacolo che ho assistito era molto interessante.

b ☐ Lo spettacolo il quale ho assistito era molto interessante.

c ☐ Lo spettacolo a cui ho assistito era molto interessante.

d ☐ Lo spettacolo a quale ho assistito era molto interessante.

41. a ☐ Stasera sarei rimasto a casa, ma Anna mi ha chiesto di andare da lei.

b ☐ Stasera sono rimasto a casa, ma Anna mi ha chiesto di andare da lei.

c ☐ Stasera rimarrei a casa, ma Anna mi ha chiesto di andare per lei.

d ☐ Stasera rimarrei a casa, ma Anna mi ha chiesto di andare a lei.

42. a ☐ Domani verrà da noi a cena la mia zia con suoi figli.

b ☐ Domani verrà da noi a cena mia zia con i suoi figli.

c ☐ Domani verrà da noi a cena la mia zia con i suoi figli.

d ☐ Domani verrà da noi a cena la mia zia con figli.

43. Quanti biglietti hai comprato?

a ☐ Non l'ho comprato per nessuno.

b ☐ Ho comprato due: uno per me e uno per te.

c ☐ Ho comprato due.

d ☐ Ne ho comprati due: uno per me e uno per te.

44. a ☐ Sono veramente belle queste camicie, ma sono troppe care per le nostre tasche.

b ☐ Sono veramente belle queste camicie, ma sono troppo caro per le nostre tasche.

c ☐ Sono veramente belle queste camicie, ma sono troppo care per le nostre tasche.

d ☐ Sono veramente belle queste camicie, ma sono troppe caro per le nostre tasche.

45. a ☐ Le amiche siedono in salotto e mettono a parlare.

b ☐ Le amiche si siedono in salotto e si mettono a parlare.

c ☐ Le amiche sedono in salotto e mettono a parlare.

d ☐ Le amiche si sedono in salotto e si mettono a parlare.

46. a ☐ Fa qualche giorno è venuto a trovarmi un vecchio collega.

b ☐ Qualche giorni fa è venuto a trovarmi un vecchio collega.

c ☐ Qualche giorno fa è venuto a trovarmi un vecchio collega.

d ☐ Fa qualche giorni è venuto a trovarmi un vecchio collega.

47. a ☐ Ci vorrà alcune ore per risolvere questo problema.

b ☐ Ci vorranno alcune ore per risolvere questo problema.

c ☐ Ci vorrano alcune ore per risolvere questo problema.

d ☐ Ci voranno alcune ore per risolvere questo problema.

48. a ☐ Non posso stare più qui, mi vado.

b ☐ Non posso stare più qui, ne vado.

c ☐ Non posso stare più qui, ci vado.

d ☐ Non posso stare più qui, me ne vado.

49. a ☐ Se hai bisogno di me, chiamimi in qualsiasi momento!

b ☐ Se hai bisogno di me, mi chiama in qualsiasi momento!

c ☐ Se hai bisogno di me, chiamami in qualsiasi momento!

d ☐ Se hai bisogno di me, mi chiami in qualsiasi momento!

50. a ☐ Tutto è finito troppo presto, ma non ne importo.

b ☐ Tutto è finito troppo presto, ma mi non importa.

c ☐ Tutto è finito troppo presto, ma non mi importo.

d ☐ Tutto è finito troppo presto, ma non mi importa.

funzioni e atti comunicativi

51. Alla fermata dell'autobus incontri un vecchio vicino di casa, il signor Belli. Lo saluti e cerchi di fargli ricordare chi sei:

a ☐ Ciao, signor Belli! Non ricordi? Sono un vecchio vicino di casa.

b ☐ Salve, signor Belli! Vengo da Via Verdi.

c ☐ Buon giorno, signor Belli! Prima abitavo in Via Verdi.

d ☐ Buon giorno, signor Belli! Non ricorda? Sono un vecchio vicino di casa.

52. Stai male, da giorni avverti un forte dolore al petto: che cosa dici al tuo dottore?

a ☐ Da due giorni ho un fastidioso dolore, proprio qui a sinistra.

b ☐ Non ne posso più dal dolore.

c ☐ C'è bisogno di un dottore.

d ☐ Sono due notti che non dormo.

53. Domanda alla tua compagna di banco dove è finita la tua merenda:

a ☐ Dimmi tutto quello che sai della mia merenda.

b ☐ Hai preso la mia merenda?

c ☐ Ti ordino di trovarmi la mia merenda.

d ☐ Devo trovare la merenda, sto morendo di fame.

54. Il professore informa la classe che il giorno dopo bisogna fare una prova di profitto:

a ☐ Si deve periodicamente fare una prova di profitto.

b ☐ Sono sicuro che tutti vogliono fare una prova di profitto.

c ☐ Volenti o nolenti domani farete una prova, scritta e orale, di profitto.

d ☐ Perché non chiedete mai di fare in classe prove di profitto?

55. Un ragazzo telefona a casa tua e cerca tuo fratello che però è uscito. Come gli rispondi?

a ☐ Mio fratello è uscito, non gli piace stare a casa.

b ☐ Mi dispiace, non posso passartelo perché è fuori.

c ☐ Dimmi, perché vuoi parlargli?

d ☐ Ora non c'è e non mi dice mai dove va.

56. Chiedi informazioni ad un amico sul corso di informatica che lui sta frequentando:

a ☐ Ti sei pentito di aver deciso di frequentare questo corso?

b ☐ Dimmi tutto quello che potrà essere utile anche per me!

c ☐ Puoi dirmi se sei contento di aver terminato il corso?

d ☐ Sono state noiose le lezioni?

57. Telefona al nonno e informati sulla sua salute:

a ☐ Nonno, come te la passi?

b ☐ Quando starai male, ti accompagnerò io dal dottore.

c ☐ Dalla tua voce mi sembra di capire che non stai benone.

d ☐ È inutile chiamare il dottore per un raffreddore.

58. Desideri visitare Roma; telefoni per informazioni ad una agenzia turistica:

a ☐ La vostra agenzia è autorizzata a fare prenotazioni alberghiere?

b ☐ Può aiutarmi ad organizzare un viaggio?

c ☐ Potrebbe darmi l'indirizzo di posta elettronica di un buon albergo a Roma?

d ☐ Vorrei avere un preventivo per un soggiorno a Roma, tre pernottamenti in albergo a tre stelle, trattamento di mezza pensione.

59. Sei a Milano e vuoi andare a Genova, ma non sai se c'è un treno diretto. Che cosa domandi?

a ☐ Quanto tempo ci vuole per andare in treno da Milano a Genova?

b ☐ I treni che partono da Milano sono comodi e puntuali?

c ☐ Questo treno per Genova viaggia solo nei giorni feriali?

d ☐ Mi dica se c'è un diretto per Genova e, in caso positivo, a che ora parte.

60. Hai chiesto un'informazione. Che cosa dici alla persona che ti dà la risposta?

a ☐ Va bene. Sono contento.

b ☐ Lei ne è proprio sicuro?

c ☐ Grazie, Lei è estremamente gentile.

d ☐ Grazie, Le devo qualcosa?

PROVE GRADUATE DI PROFITTO ITALIANO LS e L2   V A • V B

Le due prove di profitto, precedute dalla griglia 5 di controllo dell'autovalutazione e dalla griglia di autovalutazione, si basano su:

a) i primi 2000 elementi sia del *Vocabolario fondamentale della lingua italiana* di G. Sciarone sia del *Lessico di frequenza dell'italiano parlato* di T. De Mauro, F. Mancini, M. Vedovelli, M. Voghera;

b) le funzioni e gli atti comunicativi del *Livello soglia* di N. Galli de' Paratesi;

c) i seguenti argomenti grammaticali: **congiuntivo presente e passato con i verbi regolari e irregolari**; **verbi, espressioni, congiunzioni e locuzioni da cui dipende il congiuntivo; congiuntivo imperfetto e trapassato; congiunzioni e locuzioni da cui dipende il congiuntivo imperfetto o trapassato; periodo ipotetico; gradi dell'aggettivo.**

CONTROLLA COSA SAI FARE IN ITALIANO!

GRIGLIA 5 PER IL CONTROLLO DELL'AUTOVALUTAZIONE	S	N
→☺ **ASCOLTARE**		
Riesco a capire nei particolari, anche in un ambiente rumoroso, quello che mi viene comunicato nella lingua standard.		
Riesco a seguire una conferenza o una presentazione inerenti alla mia specializzazione e ai miei interessi, a condizione che le tematiche mi siano familiari e che la struttura sia semplice e chiara.		
Riesco a capire la maggior parte dei documentari radiofonici se parlati nella lingua standard e percepire l'umore e il tono, ecc., di chi parla.		
☺← **LEGGERE**		
Riesco ad afferrare velocemente il contenuto e l'importanza di notizie, articoli o resoconti su temi che sono in relazione con i miei interessi e il mio lavoro e decidere se vale la pena di approfondirne la lettura.		
Riesco a leggere e capire articoli e resoconti su problemi d'attualità, nei quali gli autori assumono particolari atteggiamenti e sostengono punti di vista specifici.		
Riesco a capire in dettaglio dei testi su temi che rientrano nell'ambito dei miei interessi personali e nel mio campo di specializzazione.		
Riesco a leggere critiche sul contenuto e sulla valutazione di eventi culturali (film, teatro, libri, concerti) e a riassumerne le affermazioni più importanti.		
☺↔☺ **PARTECIPARE A UNA CONVERSAZIONE**		
Riesco a avviare, sostenere e concludere una conversazione con naturalezza e ad assumere con successo, di volta in volta, il ruolo di chi parla o di chi ascolta.		
Riesco a scambiare un gran numero d'informazioni inerenti al mio campo di specializzazione e d'interessi.		
Riesco ad esprimere diversi gradi di emozione e a sottolineare quello che per me è importante in un avvenimento o in un'esperienza.		
Sono in grado di partecipare attivamente a una conversazione di una certa lunghezza sulla maggior parte dei temi di interesse generale.		
☺→ **PARLARE IN MODO COERENTE**		
Riesco a fornire descrizioni e resoconti chiari e particolareggiati su moltissimi temi inerenti alla sfera dei miei interessi.		
Riesco a capire e riassumere oralmente brevi estratti di notizie, interviste o servizi giornalistici che contengono prese di posizione, considerazioni e discussioni.		
✍ **SCRIVERE**		
Riesco a scrivere testi chiari e particolareggiati su differenti temi, nell'ambito dei miei interessi, sotto forma di componimento, rapporto o relazione.		
Riesco a riassumere articoli su temi d'interesse generale.		
Riesco a riassumere informazioni estratte da fonti e media diversi.		
Riesco a scrivere, ad esempio, in una lettera al giornale, indicando i motivi pro o contro un determinato punto di vista.		
→☺ **ASCOLTARE**		
Riesco a seguire un intervento o una conversazione di una certa lunghezza, anche quando non sono strutturati chiaramente e le connessioni non sono espresse esplicitamente.		
Riesco a capire una vasta gamma di modi di dire ed espressioni del linguaggio corrente e a valutare i cambiamenti di stile e tono.		
Riesco a capire singole informazioni che riguardano annunci pubblici fatti in cattive condizioni di trasmissione, per es.: in una stazione o durante una manifestazione sportiva.		
☺← **LEGGERE**		
Riesco a capire e so riassumere oralmente testi impegnativi di una certa lunghezza.		
So leggere rapporti particolareggiati, analisi e commenti, in cui si discutono connessioni, opinioni e punti di vista.		
So ricavare informazioni, pensieri e opinioni da testi altamente specializzati nel mio proprio settore di attività, per es.: relazioni su ricerche.		
Capisco istruzioni e indicazioni complesse e di una certa lunghezza, per es., sull'uso di un nuovo apparecchio, anche se non sono in relazione con il mio ambito professionale o i miei interessi, a condizione che abbia abbastanza tempo per leggerle.		
☺↔☺ **PARTECIPARE A UNA CONVERSAZIONE**		
Riesco a prendere parte anche a discussioni animate tra persone di lingua madre.		
Riesco ad utilizzare la lingua con scioltezza, precisione ed efficacia su una gamma molto vasta di argomenti di ordine generale, professionale o scientifico.		
☺→ **PARLARE IN MODO COERENTE**		
So esporre fatti complessi in modo chiaro e dettagliato.		
So presentare, per es.: nell'ambito di un tema o di un rapporto di lavoro, un argomento complesso in maniera chiara e ben strutturata e metterne in risalto i punti essenziali.		

INIZIA I TEST CHE SEGUONO SE TI RICONOSCI NELLA DESCRIZIONE EVIDENZIATA!

GRIGLIA PER L'AUTOVALUTAZIONE	A1	A2	B1
CAPIRE → ASCOLTARE	Sono in grado di capire espressioni che mi sono familiari o anche frasi molto semplici, concernenti la mia persona, la famiglia, le cose concrete attorno a me, a condizione che si parli lentamente e in modo ben articolato.	Sono in grado di capire singole frasi e parole usate molto correntemente, purché si tratti di cose che sono importanti per me, ad esempio, informazioni semplici che riguardano la mia persona, la famiglia, le spese, il lavoro e l'ambiente circostante. Capisco inoltre l'essenziale di un messaggio o di un annuncio semplice, breve e chiaro.	Sono in grado di capire i punti essenziali di un discorso, a condizione che venga usata una lingua standard chiara che tratta argomenti familiari inerenti al lavoro, alla scuola, al tempo libero ecc. Sono in grado di trarre l'informazione principale da molti programmi radiofonici o televisivi o su avvenimenti di attualità o su argomenti che riguardano la mia sfera professionale o di interessi, a condizione che si parli in modo articolato, relativamente lento e chiaro.
LEGGERE	Sono in grado di capire singoli nomi e parole che mi sono familiari nonché frasi molto semplici come, ad esempio, quelle sulle insegne, sui manifesti o sui cataloghi.	Sono in grado di leggere un testo molto breve e semplice, di individuare informazioni concrete e prevedibili in testi quotidiani semplici (per esempio, un annuncio, un prospetto, un menu o un orario); sono inoltre in grado di capire una lettera personale semplice e breve.	Sono in grado di capire un testo in cui si usa soprattutto un linguaggio molto corrente o relativo alla professione esercitata. Sono in grado di capire la descrizione di eventi, sentimenti e desideri in lettere personali.
PARLARE PARTECIPARE A UNA CONVERSAZIONE	Sono in grado di esprimermi in maniera semplice, a condizione che l'interlocutrice o l'interlocutore sia disposta/o a ripetere certe cose in modo più lento o riformularle diversamente aiutandomi così a formulare quello che vorrei dire. Sono in grado di rispondere a domande semplici e di porne in situazioni di necessità immediata o su argomenti che mi sono molto familiari.	Sono in grado di comunicare in una situazione semplice e abituale che consiste in uno scambio semplice e diretto di informazioni che riguardano temi e attività a me familiari. Sono in grado di gestire scambi sociali molto brevi anche se di solito non comprendo abbastanza per poter condurre personalmente la conversazione.	Sono in grado di districarmi nella maggior parte delle situazioni linguistiche riscontrate nei viaggi nella regione in cui si parla la lingua. Sono in grado di partecipare senza preparazione a una conversazione su argomenti che mi sono familiari o che riguardano i miei interessi oppure che concernono la vita di ogni giorno, come la famiglia, gli hobby, il lavoro, i viaggi o avvenimenti attuali.
PARLARE IN MODO COERENTE	Sono in grado di utilizzare espressioni e frasi semplici per descrivere le persone che conosco e dove abito.	Sono in grado di descrivere – usando una serie di frasi e con mezzi linguistici semplici – la mia famiglia, le altre persone, la mia formazione, il mio lavoro attuale o l'ultima attività svolta.	Sono in grado di parlare usando frasi semplici e coerenti per descrivere esperienze, eventi, i miei sogni, speranze o obiettivi. Sono in grado di spiegare e di motivare brevemente le mie opinioni e i miei progetti. Sono in grado di raccontare una storia oppure la trama di un libro o di un film e di descrivere le mie reazioni.
SCRIVERE SCRIVERE	Sono in grado di scrivere una cartolina semplice e breve con, p.es.: i saluti dalle vacanze. Sono inoltre in grado di compilare un modulo come, per esempio, quello degli alberghi con le mie generalità (nome, indirizzo, nazionalità ecc.).	Sono in grado di scrivere un appunto o una comunicazione breve e semplice nonché una lettera personale molto semplice, ad esempio, per porgere i miei ringraziamenti.	Sono in grado di scrivere un testo semplice e coerente su argomenti che mi sono familiari o che mi interessano personalmente nonché lettere personali riferendo esperienze e descrivendo impressioni.

B2	C1	C2	
Sono in grado di capire interventi di una certa lunghezza e conferenze seguendo anche un'argomentazione complessa, a condizione che gli argomenti mi siano abbastanza familiari. Sono in grado di capire alla televisione la maggior parte dei notiziari e dei servizi giornalistici d'attualità. Sono in grado di capire la maggior parte dei film, a condizione che si parli un linguaggio standard.	Sono in grado di seguire interventi di una certa lunghezza, anche se non sono strutturati chiaramente e anche se le relazioni contestuali non sono esposte esplicitamente. Sono in grado di capire senza grande fatica un programma televisivo o un film.	Non ho nessuna difficoltà a capire la lingua parlata sia dal vivo che dai mezzi d'informazione, anche quando si parla velocemente. Ho solo bisogno di un po' di tempo per abituarmi a un accento particolare.	
Sono in grado di leggere e di capire un articolo o un rapporto su questioni d'attualità in cui l'autrice o l'autore sostiene particolari atteggiamenti o punti di vista. Sono in grado di capire un testo letterario contemporaneo in prosa.	Sono in grado di capire un testo specialistico lungo e complesso nonché uno letterario e di percepirne le differenze stilistiche. Sono in grado di capire un articolo specialistico e istruzioni tecniche di una certa lunghezza, anche se non rientrano nel campo della mia specializzazione.	Sono in grado di capire senza sforzo praticamente tutti i tipi di testi scritti, anche se sono astratti o complessi dal punto di vista del linguaggio e del contenuto, per esempio, un manuale, un articolo specialistico o un'opera letteraria.	
Sono in grado di comunicare con un grado di scorrevolezza e spontaneità tali da permettere abbastanza facilmente una conversazione normale con un'interlocutrice o un interlocutore di lingua madre. Sono in grado di partecipare attivamente a una discussione in situazioni a me familiari e di esporre e motivare le mie opinioni.	Sono in grado di esprimermi in modo scorrevole e spontaneo, senza dare troppo spesso la chiara impressione di dover cercare le parole. Sono in grado di usare la lingua con efficacia e flessibilità nella vita sociale e professionale. Sono in grado di esprimere i miei pensieri e le mie opinioni con precisione e di associare con abilità i miei interventi con quelli di altri interlocutori.	Sono in grado di partecipare senza sforzo a qualsiasi conversazione o discussione e ho familiarità con le espressioni idiomatiche e il linguaggio corrente. Sono in grado di esprimermi correntemente e di evidenziare con precisione sfumature più sottili di senso. Quando incontro difficoltà di espressione sono in grado di riprendere e riformularla in maniera così abile che chi mi ascolta non se ne accorge.	
Sono in grado di fornire descrizioni chiare e particolareggiate su molti temi inerenti alla sfera dei miei interessi e sono inoltre in grado di commentare un punto di vista su una questione di attualità, indicando i vantaggi e gli inconvenienti delle diverse opzioni.	Sono in grado di descrivere in maniera chiara e circostanziata fatti complessi, collegandone i punti tematici, esponendo aspetti particolari e concludendo il mio contributo in modo adeguato.	Sono in grado di esporre fatti in modo chiaro, scorrevole e stilisticamente adatto alla situazione. Sono in grado di strutturare la mia presentazione in modo logico, facilitando così a chi ascolta il compito di riconoscere e di fissare nella mente i punti importanti.	
Sono in grado di scrivere testi chiari e dettagliati su numerosi argomenti inerenti alla sfera dei miei interessi e di riportare informazioni in un testo articolato o in un rapporto o di esporre gli argomenti pro e contro un determinato punto di vista. Sono in grado di scrivere lettere in cui rendo esplicito il significato personale di avvenimenti ed esperienze.	Sono in grado di esprimermi per iscritto in maniera chiara e ben strutturata nonché di esporre in modo circostanziato le mie opinioni. Sono in grado di trattare un tema complesso in una lettera, in un testo articolato o in un rapporto e di sottolineare gli aspetti che considero essenziali. Nei miei testi scritti sono in grado di scegliere lo stile che più si addice a chi legge.	Sono in grado di scrivere testi chiari, scorrevoli e stilisticamente adatti ad ogni circostanza. Sono in grado di redigere una lettera esigente, un rapporto lungo o un articolo su questioni complesse e strutturarli con chiarezza per permettere a chi legge di capire e ricordare i punti salienti. Sono in grado di riassumere e criticare per iscritto testi specialistici e letterari.	

V A

GIORNO	MESE	ANNO

1.
a ☐ Dobbiamo continuare studiare.
b ☐ Dobbiamo continuare a studiare.
c ☐ Dobbiamo continuare di studiare.
d ☐ Dobbiamo continuare da studiare.

2.
a ☐ Non dimenticherò mai quei begli occhi della ragazza.
b ☐ Non dimenticherò mai quegli begli occhi della ragazza.
c ☐ Non dimenticherò mai quegli bei occhi della ragazza.
d ☐ Non dimenticherò mai quei bei occhi della ragazza.

3.
a ☐ Se vuoi parlarle dei tuoi progetti, parlile pure!
b ☐ Se vuoi parlarle dei tuoi progetti, parline pure!
c ☐ Se vuoi parlarle dei tuoi progetti, parlanele pure!
d ☐ Se vuoi parlarle dei tuoi progetti, parlagliene pure!

4. Quante sorelle hai?
a ☐ Non ho nessuna.
b ☐ Ho nessuna.
c ☐ Ne ho nessuna.
d ☐ Non ne ho nessuna.

5.
a ☐ Il nostro insegnante ha letto quel libro e lo consiglia.
b ☐ Il nostro insegnante ha letto quel libro e ci consiglia.
c ☐ Il nostro insegnante ha letto quel libro e ce lo consiglia.
d ☐ Il nostro insegnante ha letto quel libro e lo ci consiglia.

6.
a ☐ Il piccolo si è addormentato dopo che ho spento la luce.
b ☐ Il piccolo si è addormentato dopo che sono spente la luce.
c ☐ Il piccolo si è addormentato dopo che avevo spento la luce.
d ☐ Il piccolo si è addormentato dopo che spegnevo la luce.

7.
a ☐ Il direttore ha stretto la mano tutti i presenti.
b ☐ Il direttore ha streto la mano a tutti i presenti.
c ☐ Il direttore ha stretto la mano a tutti presenti.
d ☐ Il direttore ha stretto la mano a tutti i presenti.

8. Quanti soldi hai guadagnato con quel lavoro?
a ☐ Non ho guadagnato.
b ☐ Ne ho guadagnati pochi.
c ☐ Ne ho guadagnato poco.
d ☐ Ho guadagnati pochi.

9.
a ☐ Quando ero a Firenze andavo spesso a visitare i musei.
b ☐ Quando sono stato a Firenze sono andato spesso visitare i musei.
c ☐ Quando ero stato a Firenze andavo spesso a visitare i musei.
d ☐ Quando ero a Firenze ero andato spesso a visitare i musei.

10.
a ☐ Luisa, non preoccupati e non preoccupisi neanche Lei, signora!
b ☐ Luisa, non preoccuparti e non preoccuparsi neanche Lei, signora!
c ☐ Luisa, non preoccuparti e non si preoccupi neanche Lei, signora!
d ☐ Luisa, non te preoccupa e non si preoccupi neanche Lei, signora!

11.
a ☐ Ecco il signore i quali nipoti abbiamo incontrato ieri.
b ☐ Ecco il signore di cui nipoti abbiamo incontrato ieri.
c ☐ Ecco il signore del quale nipoti abbiamo incontrato ieri.
d ☐ Ecco il signore i cui nipoti abbiamo incontrato ieri.

12.
a ☐ Voglio che mio figlio studi con maggiore impegno.
c ☐ Voglio che mio figlio studia con maggiore impegno.
c ☐ Voglio che mio figlio studii con maggiore impegno.
d ☐ Voglio che mio figlio studierà con maggiore impegno.

13. a ☐ Andiamo a salutarli prima che partono.

b ☐ Andiamo a salutarli prima che partino.

c ☐ Andiamo a salutarli prima che partano.

d ☐ Andiamo a salutarli prima che sono partiti.

14. a ☐ Temo che piove ancora per molti giorni.

b ☐ Temo che piova ancora per molti giorni.

c ☐ Temo che sta piovendo ancora per molti giorni.

d ☐ Temo che stia piovendo ancora per molti giorni.

15. a ☐ Ritengo che quel ragazzo agisce con coraggio.

b ☐ Ritengo che quel ragazzo vuole agire con coraggio.

c ☐ Ritengo che quel ragazzo ha agito con coraggio.

d ☐ Ritengo che quel ragazzo abbia agito con coraggio.

16. a ☐ Per me la rosa è il fiore più bello che esisterebbe.

b ☐ Per me la rosa è il fiore più bello che esisteva.

c ☐ Per me la rosa è il fiore più bello che esista.

d ☐ Per me la rosa è il fiore più bello che esistesse.

17. a ☐ Sebbene viaggio tutta la notte, non sono stanco.

b ☐ Sebbene ho viaggiato tutta la notte, non sono stanco.

c ☐ Sebbene viaggiavo tutta la notte, non sono stanco.

d ☐ Sebbene abbia viaggiato tutta la notte, non sono stanco.

18. a ☐ Se avessi detto la verità, ora non sarei nei guai.

b ☐ Se avessi detto la verità, ora non fossi nei guai.

c ☐ Se avrei detto la verità, ora non sarei nei guai.

d ☐ Se avrei detto la verità, ora non fossi nei guai.

19. a ☐ Penseranno che voglio parlargli.

b ☐ Penseranno io voglio parlargli.

c ☐ Penseranno che io voglia parlargli.

d ☐ Penseranno voglia parlargli.

20. a ☐ Nel caso che tu ti decidi, fammelo sapere.

b ☐ Nel caso che tu ti decida, fammelo sapere.

c ☐ Nel caso che tu ti decida, me lo fai sapere.

d ☐ Nel caso che tu ti decidi, farmelo sapere.

21. a ☐ Era giusto che voi offriate il vostro aiuto agli amici.

b ☐ Era giusto che voi abbiate offerto il vostro aiuto agli amici.

c ☐ Era giusto che voi offriste il vostro aiuto agli amici.

d ☐ Era giusto che voi offrivate il vostro aiuto agli amici.

22. a ☐ Se tu fossi qui, potremmo parlare di tutto tranquillamente.

b ☐ Se tu fossi qui, avremo potuto parlare di tutto tranquillamente.

c ☐ Se tu sia qui, potremmo parlare di tutto tranquillamente.

d ☐ Se tu sia stato qui, avremmo potuto parlare di tutto tranquillamente.

23. a ☐ Che ne diresti se andremmo in quella direzione?

b ☐ Che ne diresti se andassimo in quella direzione?

c ☐ Che ne dici se andremmo in quella direzione?

d ☐ Che ne dicessi se andremo in quella direzione?

24. a ☐ Ieri credevo che tutto era difficile, oggi mi sembra che tutto sia stato più facile.

b ☐ Ieri credevo che tutto sarebbe difficile, oggi mi sembra che tutto era più facile.

c ☐ Ieri credevo che tutto fosse difficile, oggi mi sembra che tutto sia più facile.

d ☐ Ieri credevo che tutto fosse difficile, oggi mi sembra che tutto fosse più facile.

25. a ☐ Credo che arriverà il momento di andarmene. A più tardi.

b ☐ Credo che arrivi il momento di andarmene. A più tardi.

c ☐ Credo che arriva il momento di andarmene. A più tardi.

d ☐ Credo che sia arrivato il momento di andarmene. A più tardi.

26. a ☐ In inverno le notti sono più lunghe di giorni.

    b ☐ In inverno le notti sono più lunghe che i giorni.

    c ☐ In inverno le notti sono più lunghe dei giorni.

    d ☐ In inverno le notti sono più lunghe come i giorni.

27. a ☐ Claudia è bella quanta elegante.

    b ☐ Claudia è quanto bella tanto elegante.

    c ☐ Claudia è tanto bella quanto elegante.

    d ☐ Claudia è tanta bella quanta elegante.

28. a ☐ Puoi comprarlo, è un oggetto di più buona qualità.

    b ☐ Puoi comprarlo, è un oggetto di ottima qualità.

    c ☐ Puoi comprarlo, è un oggetto dell'ottima qualità.

    d ☐ Puoi comprarlo, è un oggetto di migliore qualità.

29. a ☐ Oggi è meno caldo che come alcuni giorni fa.

    b ☐ Oggi è meno caldo che quello alcuni giorni fa.

    c ☐ Oggi è meno caldo degli alcuni giorni fa.

    d ☐ Oggi è meno caldo di alcuni giorni fa.

30. a ☐ I pochi minuti di attesa in quella sala mi sono sembrati lungo lunghi.

    b ☐ I pochi minuti di attesa in quella sala mi sono sembrati molti lunghi.

    c ☐ I pochi minuti di attesa in quella sala mi sono sembrati più lunghissimi.

    d ☐ I pochi minuti di attesa in quella sala mi sono sembrati lunghissimi.

31. a ☐ Che cosa dirà la mamma se sapesse che sei partito?

    b ☐ Che cosa direbbe la mamma se sapesse che sei partito?

    c ☐ Che cosa dicesse la mamma se saprà che sei partito?

    d ☐ Che cosa direbbe la mamma se saprà che sei partito?

32. a ☐ È un peccato che non partano tutti insieme sabato scorso.

    b ☐ È un peccato che non fossero partiti tutti insieme sabato scorso.

    c ☐ È un peccato che non siano partiti tutti insieme sabato scorso.

    d ☐ È un peccato che non partissero tutti insieme sabato scorso.

33. a ☐ Nessuno sa che chi rompa il vaso di fiori.

    b ☐ Nessuno sa che chi abbia rotto il vaso di fiori.

    c ☐ Nessuno sa chi avesse rotto il vaso di fiori.

    d ☐ Nessuno sa chi abbia rotto il vaso di fiori.

34. a ☐ Benché ha avuto cose importanti da comunicare, Paolo stava lì zitto zitto.

    b ☐ Benché avesse cose importanti da comunicare, Paolo stava lì zitto zitto.

    c ☐ Benché aveva cose importanti da comunicare, Paolo stava lì zitto zitto.

    d ☐ Benché abbia avuto cose importanti da comunicare, Paolo stava lì zitto zitto.

35. a ☐ Gli abbiamo chiesto perché siano arrivati così in ritardo.

    b ☐ Gli abbiamo chiesto perché arrivino così in ritardo.

    c ☐ Gli abbiamo chiesto perché fossero arrivati così in ritardo.

    d ☐ Gli abbiamo chiesto perché sarebbero già arrivati così in ritardo.

36. a ☐ Nonostante ha fatto freddo, sono uscito ugualmente.

    b ☐ Nonostante facesse freddo, sono uscito ugualmente.

    c ☐ Nonostante faceva freddo, uscivo ugualmente.

    d ☐ Nonostante abbia fatto freddo, sono uscito ugualmente.

37. a ☐ Quantunque voi non siate d'accordo, io lo faccio lo stesso.

    b ☐ Quantunque voi non siete d'accordo, io faccio lo stesso.

    c ☐ Quantunque voi non eravate d'accordo, io faccio lo stesso.

    d ☐ Quantunque voi non sareste d'accordo, io lo faccio lo stesso.

38. a ☐ Benché il compito è semplice, svolgetelo con attenzione.

    b ☐ Benché il compito fosse semplice, svolgetelo con attenzione.

    c ☐ Benché il compito sia semplice, svolgetelo con attenzione.

    d ☐ Benché il compito sia stato semplice, svolgetelo con attenzione.

39. a ☐ Parlate forte, affinché tutti vi sentiranno.

b ☐ Parlate forte, affinché tutti vi sentono.

c ☐ Parlate forte, affinché tutti vi sentano.

d ☐ Parlate forte, affinché tutti vi sentirebbero.

40. a ☐ Avrei fatto un bagno se l'acqua era calda.

b ☐ Avrei fatto un bagno se l'acqua fosse stata calda.

c ☐ Avrei fatto un bagno se l'acqua sia stata calda.

d ☐ Avrei fatto un bagno se l'acqua sarebbe stata calda.

41. a ☐ Non alzatevi ragazzi, finché io non finisco a parlare!

b ☐ Non alzatevi ragazzi, finché io non abbia finito di parlare!

c ☐ Non alzatevi ragazzi, finché io non finisca per parlare!

d ☐ Non alzatevi ragazzi, finché io non finirò parlare!

42. a ☐ Mi piacerebbe che Sandro smetta di fumare, ma non ci riesce.

b ☐ Mi piacerebbe che Sandro smetterà di fumare, ma non ci riesce.

c ☐ Mi piacerebbe che Sandro smettesse di fumare, ma non ci riesce.

d ☐ Mi piacerebbe che Sandro smette di fumare, ma non ci riesce.

43. a ☐ Bisognerebbe che i ragazzi ripetano lo stesso compito più volte.

b ☐ Bisognerebbe che i ragazzi ripetessero lo stesso compito più volte.

c ☐ Bisognerebbe che i ragazzi abbiano ripetuto lo stesso compito più volte.

d ☐ Bisognerebbe che i ragazzi avrebbero ripetuto lo stesso compito più volte.

44. a ☐ Mi sarebbe piaciuto che mi abbia trattato da amico.

b ☐ Mi sarebbe piaciuto che mi avesse trattato amico.

c ☐ Mi sarebbe piaciuto che mi avesse trattato da amico.

d ☐ Mi sarebbe piaciuto che mi trattasse amico.

45. a ☐ Sarebbe giusto che portiate a termine il vostro progetto.

b ☐ Sarebbe giusto che porterete a termine il vostro progetto.

c ☐ Sarebbe giusto che portaste a termine il vostro progetto.

d ☐ Sarebbe giusto che portate a termine il vostro progetto.

46. a ☐ Andrei volentieri a quello spettacolo, ma temo che di sabato ci sia troppa folla.

b ☐ Andrei volentieri a quello spettacolo, ma temo che di sabato c'è troppa folla.

c ☐ Andrei volentieri a quello spettacolo, ma temo che di sabato ci fosse troppa folla.

d ☐ Andrei volentieri a quello spettacolo, ma temo che di sabato c'era troppa folla.

47. a ☐ Non sapeva se suo fratello tornava già.

b ☐ Non sapeva se suo fratello tornasse già.

c ☐ Non sapeva se suo fratello sia già tornato.

d ☐ Non sapeva se suo fratello fosse già tornato.

48. a ☐ Non preoccuparti, basta che tu me lo dica.

b ☐ Non preoccuparti, basta che tu me lo dici.

c ☐ Non preoccupati, basta che tu mi dica.

d ☐ Non preoccupati, basta che tu mi dirai.

49. a ☐ Magari avessimo imparato un'altra lingua!

b ☐ Magari avevamo imparato un'altra lingua!

c ☐ Magari abbiamo imparato un'altra lingua!

d ☐ Magari avremmo imparato un'altra lingua!

50. a ☐ Sono più felice di che tu possa credere.

b ☐ Sono più felice quanto tu puoi credere.

c ☐ Sono più felice che tu possa credere.

d ☐ Sono più felice di quanto tu possa credere.

51. Sei in macchina al distributore, incontri un amico che ti dice: "Ciao, come va?" Gli rispondi:

a ☐ Vado con l'autobus.

b ☐ Va a benzina.

c ☐ Vado in tutt'altra direzione.

d ☐ Non mi posso lamentare.

52. Come chiedi un piacere al tuo amico Giorgio?

a ☐ Ciao Giorgio, mi faresti un favore?

b ☐ Giorgio, ti farebbe piacere farmi un favore?

c ☐ Perché non mi fai quel piacere?

d ☐ Ciao Giorgio, ascoltami, per piacere!

53. Vorresti entrare in un ufficio la cui porta è aperta:

a ☐ Potrei sedermi?

b ☐ Scusi, è il mio turno?

c ☐ Quando toccherebbe a me?

d ☐ Potrei accomodarmi nel Suo ufficio ed aspettare lì?

54. Chiedi ad un'amica di proseguire il racconto:

a ☐ Sei simpatica, ma oggi mi hai stufato.

b ☐ Scusa, sapresti dirmi se la storia è finita bene?

c ☐ Ho capito tutto. Basta così!

d ☐ Sono curioso, dai, vai avanti.

55. Non stai molto bene. Vai dal dottore. Qual è la prima domanda del dottore?

a ☐ Ha subito interventi chirurgici negli ultimi anni?

b ☐ Ha sensazione di spossatezza?

c ☐ Che disturbi si sono manifestati negli ultimi giorni?

d ☐ Ha riposato bene la notte scorsa?

56. Sei arrivato alla stazione in tassì. Il prezzo della corsa è di 8,30 euro. Gli porgi una banconota da 10 euro, e dici:

a ☐ Il resto glielo regalo.

b ☐ Mi faccia la ricevuta fiscale per trenta euro.

c ☐ Il resto non m'interessa.

d ☐ Tenga il resto.

57. Vuoi andare al cinema stasera. Telefoni al botteghino per avere il programma odierno.

a ☐ Che film danno stasera al cinema?

b ☐ Se c'è un bel film, stasera quasi quasi decido di vederlo.

c ☐ Che genere di film proiettate di solito?

d ☐ È vero che la gente va pazza per il film in programmazione oggi?

58. Ti fermi ad una stazione di servizio. Sei rimasto quasi senza benzina. Che cosa dici?

a ☐ Penso sia necessario mettere benzina nel serbatoio!

b ☐ Controlli per favore se si deve mettere un po' di benzina.

c ☐ Faccia il pieno, per favore!

d ☐ Avete benzina verde?

59. a ☐ È scontroso e irascibile: ha proprio un carattere insopportabile.

b ☐ È scontroso e irascibile: ha proprio una qualità insopportabile.

c ☐ È scontroso e irascibile: ha proprio un atteggiamento insopportabile.

d ☐ È scontroso e irascibile: ha proprio un'attitudine insopportabile.

60. a ☐ Mi sono dimenticato di comprare il pane nuovo.

b ☐ Mi sono dimenticato di comprare il pane recente.

c ☐ Mi sono dimenticato di comprare il pane novello.

d ☐ Mi sono dimenticato di comprare il pane fresco.

61. a ☐ Quel ragazzo non fa niente dalla mattina alla colazione.

b ☐ Quel ragazzo non fa niente dalla mattina alla sera.

c ☐ Quel ragazzo non fa niente dalla mattina alla cena.

d ☐ Quel ragazzo non fa niente dalla mattina alla notte.

62.
 a ☐ Il contrario di debole è solido.
 b ☐ Il contrario di debole è resistente.
 c ☐ Il contrario di debole è duro.
 d ☐ Il contrario di debole è forte.

63.
 a ☐ In dicembre i prezzi della frutta sono davvero alti.
 b ☐ In dicembre i prezzi della frutta sono davvero molti.
 c ☐ In dicembre i prezzi della frutta sono davvero tanti.
 d ☐ In dicembre i prezzi della frutta sono davvero assai.

64.
 a ☐ Non partiamo più domani, abbiamo corretto idea.
 b ☐ Non partiamo più domani, abbiamo cambiato idea.
 c ☐ Non partiamo più domani, abbiamo trasformato idea.
 d ☐ Non partiamo più domani, abbiamo sostituito idea.

65.
 a ☐ Lo studente non sa ancora spiegare bene in italiano.
 b ☐ Lo studente non sa ancora pronunciare bene in italiano.
 c ☐ Lo studente non sa ancora esprimersi bene in italiano.
 d ☐ Lo studente non sa ancora manifestare bene in italiano.

66.
 a ☐ I compagni spesso si divertono a prenderlo in gioco.
 b ☐ I compagni spesso si divertono a prenderlo in giro.
 c ☐ I compagni spesso si divertono a prenderlo in movimento.
 d ☐ I compagni spesso si divertono a prenderlo in azione.

67.
 a ☐ Uno che si comporta così è veramente pazzo da collegare.
 b ☐ Uno che si comporta così è veramente pazzo da legare.
 c ☐ Uno che si comporta così è veramente pazzo da fissare.
 d ☐ Uno che si comporta così è veramente pazzo da liberare.

68.
 a ☐ Quell'uomo è veramente ricchissimo: ha una valigia di soldi.
 b ☐ Quell'uomo è veramente ricchissimo: ha un pacco di soldi.
 c ☐ Quell'uomo è veramente ricchissimo: ha un sacco di soldi.
 d ☐ Quell'uomo è veramente ricchissimo: ha una borsa di soldi.

69.
 a ☐ Da giorni non riesci a vedere il direttore: anche oggi hai fatto un buco nel vino!
 b ☐ Da giorni non riesci a vedere il direttore: anche oggi hai fatto un buco nell'acqua!
 c ☐ Da giorni non riesci a vedere il direttore: anche oggi hai fatto un buco nell'olio!
 d ☐ Da giorni non riesci a vedere il direttore: anche oggi hai fatto un buco nella birra!

70.
 a ☐ Ma che buona sorpresa!
 b ☐ Ma che brava sorpresa!
 c ☐ Ma che bene sorpresa!
 d ☐ Ma che bella sorpresa!

V B

GIORNO	MESE	ANNO

1. a ☐ Abbiamo molto fame.
   b ☐ Abbiamo tanto fame.
   c ☐ Abbiamo tante fame.
   d ☐ Abbiamo molta fame.

2. a ☐ Come andate a scuola: a piedi o con macchina?
   b ☐ Come andate a scuola: a piedi o in macchina?
   c ☐ Come andate a scuola: in piedi o con macchina?
   d ☐ Come andate a scuola: in piedi o con la macchina?

3. a ☐ Oggi i cinema romani rimangono chiusi per sciopero.
   b ☐ Oggi i cinema romani rimangono chiusi per lo sciopero.
   c ☐ Oggi i cinema romani rimangono chiusi a sciopero.
   d ☐ Oggi i cinema romani rimangono chiusi allo sciopero.

4. Quante parole nuove hai imparato stamattina?
   a ☐ Ne ho imparato parecchie.
   b ☐ Le ho imparate parecchie.
   c ☐ Ne ho imparate parecchie.
   d ☐ Ho imparate parecchie.

5. a ☐ Signora, Suoi figli sono ancora studenti?
   b ☐ Signora, i tuoi figli sono ancora studente?
   c ☐ Signora, i suoi figli sono ancora studente?
   d ☐ Signora, i Suoi figli sono ancora studenti?

6. a ☐ Anche loro si sono messi il vestito scuro per andare a teatro.
   b ☐ Anche loro si hanno messi il vestito scuro per andare a teatro.
   c ☐ Anche loro hanno messi il vestito scuro per andare a teatro.
   d ☐ Anche loro si hanno messo il vestito scuro per andare a teatro.

7. a ☐ Questo è il motivo con quale siamo arrivati tardi.
   b ☐ Questo è il motivo con cui siamo arrivati tardi.
   c ☐ Questo è il motivo per cui siamo arrivati tardi.
   d ☐ Questo è il motivo per quale siamo arrivati tardi.

8. a ☐ Abbiamo regalato alla nonna uno bel orologio da tavolo.
   b ☐ Abbiamo regalato alla nonna un bel orologio da tavolo.
   c ☐ Abbiamo regalato alla nonna un bell'orologio da tavolo.
   d ☐ Abbiamo regalato alla nonna bell'orologio da tavolo.

9. a ☐ Se non vuoi andare a Bologna, non andarci!
   b ☐ Se non vuoi andare a Bologna, non ci va!
   c ☐ Se non vuoi andare a Bologna, non vacci!
   d ☐ Se non vuoi andare a Bologna, non va'!

10. a ☐ È bravo quell'attore. Anche piace a te?
    b ☐ È bravo quell'attore. Piace anche a te?
    c ☐ È bravo quell'attore. Piace anche te?
    d ☐ È bravo quell'attore. Ti piace anche?

11. a ☐ Gli studenti stranieri hanno trascorso più di due settimane in Italia.
    b ☐ Gli studenti stranieri hanno trascorso più di due settimane a Italia.
    c ☐ Gli studenti stranieri hanno trascorso più due settimane in Italia.
    d ☐ Gli studenti stranieri hanno trascorsi più due settimane a Italia.

12. a ☐ Dobbiamo finire questo lavoro prima che faremo buio.
    b ☐ Dobbiamo finire questo lavoro prima che facciamo buio.
    c ☐ Dobbiamo finire questo lavoro prima che faccia buio.
    d ☐ Dobbiamo finire questo lavoro prima che fa buio.

13. a ☐ È meglio che voi prendete subito una decisione.

    b ☐ È meglio che voi prendiate subito una decisione.

    c ☐ È meglio che voi prendereste subito una decisione.

    d ☐ È meglio che voi prenderete subito una decisione.

14. a ☐ Penseranno che vi sia accaduto qualcosa di grave.

    b ☐ Penseranno che vi è accaduta qualcosa di grave.

    c ☐ Penseranno che vi siate accaduti qualcosa di grave.

    d ☐ Penseranno che vi accade qualcosa di grave.

15. a ☐ Mi sembra che Franco partirà due giorni fra.

    b ☐ Mi sembra che Franco parte fra due giorni.

    c ☐ Mi sembra che Franco parta da due giorni.

    d ☐ Mi sembra che Franco sia partito due giorni fa.

16. a ☐ Non so come tu potevi dire quello che hai detto.

    b ☐ Non so come tu abbia potuto dire quello che hai detto.

    c ☐ Non so come tu puoi dire quello che hai detto.

    d ☐ Non so come tu dici quello che hai detto.

17. a ☐ I genitori speravano che il figlio vada al mare con loro.

    b ☐ I genitori speravano che il figlio andrebbe al mare con loro.

    c ☐ I genitori speravano che il figlio andasse al mare con loro.

    d ☐ I genitori speravano che il figlio sia andato al mare con loro.

18. a ☐ Non mi pare che abbiate comportato bene voi due in quell'occasione.

    b ☐ Non mi pare che siate comportati bene voi due in quell'occasione.

    c ☐ Non mi pare che vi siate comportati bene voi due in quell'occasione.

    d ☐ Non mi pare che vi comportiate bene voi due in quell'occasione.

19. a ☐ Non creda, signore, che io dimentico la mia promessa.

    b ☐ Non creda, signore, che io abbia dimenticato la mia promessa.

    c ☐ Non creda, signore, che io ho dimenticato la mia promessa.

    d ☐ Non creda, signore, che io dimenticherei la mia promessa.

20. a ☐ Penso che a questo punto sia meglio non ci vediamo più.

    b ☐ Penso che a questo punto sarebbe meglio non ci vediamo più.

    c ☐ Penso che a questo punto sia meglio non vederci più.

    d ☐ Penso che a questo punto è meglio che non vederci più.

21. a ☐ Ho più amici di amiche.

    b ☐ Ho più amici delle amiche.

    c ☐ Ho più amici che amiche.

    d ☐ Ho più amici che le amiche.

22. a ☐ Fra tutti, meno stanco mi sembri tu.

    b ☐ Fra tutti, il meno stanco mi sembri tu.

    c ☐ Fra tutti, il meno stanco sembra te.

    d ☐ Fra tutti, meno stanco sembri tu.

23. a ☐ Hai pessima abitudine di arrivare sempre in ritardo.

    b ☐ Hai la più cattiva abitudine di arrivare sempre in ritardo.

    c ☐ Hai la pessima abitudine di arrivare sempre in ritardo.

    d ☐ Hai l'abitudine la più cattiva di arrivare sempre in ritardo.

24. a ☐ Per me l'autunno è una stagione più triste che bella.

    b ☐ Per me l'autunno è una stagione più triste di bella.

    c ☐ Per me l'autunno è una stagione più triste come bella.

    d ☐ Per me l'autunno è una più stagione triste che bella.

25. a ☐ Questo è il romanzo il più bello tra quelli che ho letto ultimamente.

    b ☐ Questo è il romanzo più bello tra quelli che ho letto ultimamente.

    c ☐ Questo è più bel romanzo tra quelli che ho letto ultimamente.

    d ☐ Questo è il più bello il romanzo tra quelli che ho letto ultimamente.

26. a ☐ È più riposante viaggiare in treno di macchina.

    b ☐ È più riposante viaggiare in treno della macchina.

    c ☐ È più riposante viaggiare in treno che in macchina.

    d ☐ È più riposante viaggiare in treno che con macchina.

27. a ☐ Credo che Roma sia la città la più bella d'Italia.

b ☐ Credo che Roma sia una città più bella d'Italia.

c ☐ Credo che Roma sia la città più bella d'Italia.

d ☐ Credo che Roma sia più bella città d'Italia.

28. a ☐ Claudia era elegantissima, forse la più elegante che le invitate.

b ☐ Claudia era elegantissima, forse più la elegante delle invitate.

c ☐ Claudia era elegantissima, forse la più elegante tra le invitate.

d ☐ Claudia era elegantissima, forse più elegante tra le invitate.

29. a ☐ È probabile che il cappello nero costi un po' più di quel blu.

b ☐ È probabile che il cappello nero costi un po' più di quello blu.

c ☐ È probabile che il cappello nero costi un po' di più che quello blu.

d ☐ È probabile che il cappello nero costi un po' di più che quel blu.

30. a ☐ Pietro è più bravo sia che te che Paolo.

b ☐ Pietro è più bravo sia di tu che di Paolo.

c ☐ Pietro è più bravo sia di te che di Paolo.

d ☐ Pietro è più bravo sia come te come Paolo.

31. a ☐ Era piacevole vivere qui, se ci fosse meno rumore.

b ☐ Sarebbe piacevole vivere qui, se ci fosse meno rumore.

c ☐ Sarà piacevole vivere qui, se ci fosse meno rumore.

d ☐ Sarebbe piacevole vivere qui, se ci sarebbe meno rumore.

32. a ☐ Se voi venite a cena a casa mia, vi avrei cucinato del pesce.

b ☐ Se voi verreste a cena a casa mia, vi cucinerei del pesce.

c ☐ Se voi sarete venuti a cena a casa mia, vi cucinerei del pesce.

d ☐ Se voi veniste a cena a casa mia, vi cucinerei del pesce.

33. a ☐ Mi sembra che oggi la nonna stava molto meglio.

b ☐ Mi sembra che oggi la nonna è stata molto meglio.

c ☐ Mi sembra che oggi la nonna stia molto meglio.

d ☐ Mi sembra che oggi la nonna sta molto meglio.

34. a ☐ Prima che i bambini se ne vanno, voglio fargli una piccola sorpresa.

b ☐ Prima che i bambini se ne vadano, voglio fargli una piccola sorpresa.

c ☐ Prima che i bambini se ne siano andati, voglio fargli una piccola sorpresa.

d ☐ Prima che i bambini se ne sono andati, voglio fargli una piccola sorpresa.

35. a ☐ Non ti pare che sia ora che ti metteresti a studiare?

b ☐ Non ti pare che sia ora che ti metta a studiare?

c ☐ Non ti pare che sarebbe ora che metta a studiare?

d ☐ Non ti pare che è ora che ti metti a studiare?

36. a ☐ Non so se sia giusto trattarli così.

b ☐ Non so se siano giusti trattarli così.

c ☐ Non so se è giusto a trattarli così.

d ☐ Non so se sarà giusto a trattarli così.

37. a ☐ Sarà bene che tu mettessi in valigia roba più pesante se vai in montagna.

b ☐ Sarà bene che tu metti in valigia roba più pesante se vai in montagna.

c ☐ Sarà bene che tu metta in valigia roba più pesante se vai in montagna.

d ☐ Sarà bene che tu metteresti in valigia roba più pesante se vai in montagna.

38. a ☐ Mio padre era contento che io superavo finalmente anche l'ultimo esame.

b ☐ Mio padre era contento che io abbia superato finalmente anche l'ultimo esame.

c ☐ Mio padre era contento che io superassi finalmente anche l'ultimo esame.

d ☐ Mio padre era contento che io avessi superato finalmente anche l'ultimo esame.

39. a ☐ Credo che Paolo sia uno dei ragazzi più intelligenti che io abbia mai conosciuto.

   b ☐ Credo che Paolo sia uno dei ragazzi più intelligenti che io mai conosca.

   c ☐ Credo che Paolo sia stato uno dei ragazzi più intelligenti che io ho mai conosciuto.

   d ☐ Credo che Paolo è uno dei ragazzi più intelligenti che io mai conosca.

40. a ☐ Se tu non fossi così stanco, potremmo fare una passeggiata.

   b ☐ Se tu non saresti così stanco, potremo fare una passeggiata.

   c ☐ Se tu non fossi così stanco, possiamo fare una passeggiata.

   d ☐ Se tu non fosse così stanco, faremmo una passeggiata.

41. a ☐ Se mi chiedessero un aiuto, io non glielo negavo.

   b ☐ Se mi chiedessero un aiuto, io non glielo negherei.

   c ☐ Se mi chiedono un aiuto, io non gli negherei.

   d ☐ Se mi chiedessero un aiuto, io non gli nego.

42. a ☐ Non capisco perché la mia macchina si fosse fermata all'improvviso.

   b ☐ Non capisco perché la mia macchina si fermasse all'improvviso.

   c ☐ Non capisco perché la mia macchina si ferma all'improvviso.

   d ☐ Non capisco perché la mia macchina si sia fermata all'improvviso.

43. a ☐ Avrei voluto che i ragazzi continuino gli studi.

   b ☐ Avrei voluto che i ragazzi abbiano continuato gli studi.

   c ☐ Avrei voluto che i ragazzi continuassero gli studi.

   d ☐ Avrei voluto che i ragazzi continuavano gli studi.

44. a ☐ Sono sicuro che il nonno è rimasto a casa, mia moglie invece pensa che sia uscito.

   b ☐ Sono sicuro che il nonno sia rimasto a casa, mia moglie invece pensa che sia uscito.

   c ☐ Sono sicuro che il nonno è rimasto a casa, mia moglie invece pensa che è uscito.

   d ☐ Sono sicuro che il nonno rimane a casa, mia moglie invece pensa che è uscito.

45. a ☐ Se non abbiamo trovato una compagnia più allegra, saremmo rimasti con loro.

   b ☐ Se non trovassimo una compagnia più allegra, saremmo rimasti con loro.

   c ☐ Se non avessimo trovato una compagnia più allegra, saremmo rimasti con loro.

   d ☐ Se non trovavamo una compagnia più allegra, rimarremmo con loro.

46. a ☐ Non avrei mai pensato che quel giovane artista abbia dipinto quadri così belli.

   b ☐ Non avrei mai pensato che quel giovane artista dipingesse quadri così belli.

   c ☐ Non avrei mai pensato che quel giovane artista dipingerebbe quadri così belli.

   d ☐ Non avrei mai pensato che quel giovane artista dipinga quadri così belli.

47. a ☐ Se non avete studiato abbastanza, è inutile che vi presentiate all'esame.

   b ☐ Se non avete studiato abbastanza, è inutile che vi presentate all'esame.

   c ☐ Se non avreste studiato abbastanza, è inutile che vi presentereste all'esame.

   d ☐ Se non avreste studiato abbastanza, è inutile che vi sarete presentati all'esame.

48. a ☐ Parlava lentamente in italiano, affinché tutti abbiano potuto capire le sue parole.

   b ☐ Parlava lentamente in italiano, affinché tutti potevano capire le sue parole.

   c ☐ Parlava lentamente in italiano, affinché tutti potessero capire le sue parole.

   d ☐ Parlava lentamente in italiano, affinché tutti avessero potuto capire le sue parole.

49. a ☐ È tardissimo! Speriamo che Luca non si abbia dimenticato dell'appuntamento.

   b ☐ È tardissimo! Speriamo che Luca non si sia dimenticato dell'appuntamento.

   c ☐ È tardissimo! Speriamo che Luca non si dimenticava dell'appuntamento.

   d ☐ È tardissimo! Speriamo che Luca non si dimentica dell'appuntamento.

50. a ☐ Magari ci saremmo incontrati a solito posto!

   b ☐ Magari ci fossimo incontrati al solito posto!

   c ☐ Magari ci siamo incontrati nel solito posto!

   d ☐ Magari c'incontrassimo il solito posto!

51. Come rispondi alle scuse di una signora?

a ☐ Non scusarti, signora!

b ☐ Si figuri, signora!

c ☐ Non preoccuparti, signora!

d ☐ Signora, faccia come se fosse a casa Sua!

52. Un signore italiano è venuto appositamente a visitare il museo della tua città che però è chiuso. Si rivolge alla guida:

a ☐ Sta scherzando, non ci credo!

b ☐ Sembra incredibile, ma voglio crederci.

c ☐ Perché non vorrebbe che io visitassi il museo?

d ☐ E va bene, ci ritornerò l'anno prossimo.

53. Come ti chiedono un'opinione circa l'ultimo romanzo di Umberto Eco?

a ☐ Vorrei sapere che cosa pensa dell'ultimo romanzo di Eco.

b ☐ Le interesserebbe leggere un'opera di Eco?

c ☐ Vorrei che mi raccontasse la trama dell'ultimo romanzo di Eco.

d ☐ Mi piacerebbe sapere dove posso acquistare l'ultimo romanzo di Eco.

54. Il treno è in ritardo. Parli con una viaggiatrice, anche lei in attesa:

a ☐ Andiamo dal capostazione a protestare!

b ☐ Non vorrei proprio che oggi ci fosse uno sciopero selvaggio.

c ☐ Si sa, i treni non arrivano mai puntuali.

d ☐ Del ritardo non mi importa niente. Amo aspettare.

55. Devi spedire una lettera raccomandata, ma non sai dove è l'ufficio postale. Chiedi ad un signore:

a ☐ Mi saprebbe dire se a quest'ora è aperto l'ufficio postale?

b ☐ Mi aiuterebbe a compilare un modulo per spedire una raccomandata?

c ☐ Mi scusi, per caso sa dirmi dov'è la posta?

d ☐ All'ufficio postale accettano assegni di conto corrente?

56. Ti chiedono se ti piacerebbe abitare a Roma. Che cosa rispondi?

a ☐ È un peccato che io non possa abitare a Roma.

b ☐ Magari potessi vivere a Roma.

c ☐ Magari potrei vivere a Roma.

d ☐ Magari avessi potuto abitare a Roma.

57. Vai a trovare un vecchio amico che ha comprato un'auto di seconda mano:

a ☐ È bella, è come nuova. Credo proprio che tu abbia fatto un buon affare.

b ☐ Le macchine di seconda mano non sono sicure.

c ☐ Le macchine di seconda mano non hanno nessuna garanzia.

d ☐ È difficile assicurare le macchine di seconda mano.

58. Sei ancora a casa di un amico per finire di studiare. È ora di pranzo, lui ti chiede:

a ☐ Perché non mangiamo qualcosa insieme?

b ☐ Perché non mangeremo qualcosa insieme?

c ☐ Quale piatto si dovrebbe preparare per un ospite?

d ☐ Come ti comporteresti se un ospite arrivasse a casa tua all'ora di pranzo?

59. Sei stato invitato a visitare una mostra di pittura. Ti congratuli con l'artista:

a ☐ I quadri sono belli, ma avrei voluto che Lei dipingesse altri soggetti.

b ☐ I colori sono bellissimi, ma non mi piacciono i soggetti.

c ☐ Prima di venire qui non pensavo che Lei fosse così bravo.

d ☐ Mi permetta di esprimerLe la mia ammirazione.

60. Non ti è chiara la lezione del professore di italiano. Che cosa dici?

a ☐ Scusi professore, qual è il suo orario di ricevimento?

b ☐ Potrebbe chiarirmi alcuni dubbi circa la lezione di oggi?

c ☐ Scusi professore, avrei alcuni problemi con l'italiano.

d ☐ Secondo Lei, fra quanto tempo riuscirò a parlare bene l'italiano?

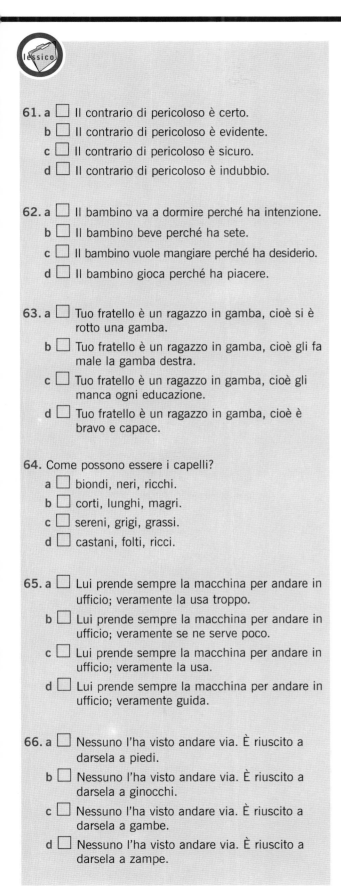

61. a ☐ Il contrario di pericoloso è certo.
    b ☐ Il contrario di pericoloso è evidente.
    c ☐ Il contrario di pericoloso è sicuro.
    d ☐ Il contrario di pericoloso è indubbio.

62. a ☐ Il bambino va a dormire perché ha intenzione.
    b ☐ Il bambino beve perché ha sete.
    c ☐ Il bambino vuole mangiare perché ha desiderio.
    d ☐ Il bambino gioca perché ha piacere.

63. a ☐ Tuo fratello è un ragazzo in gamba, cioè si è rotto una gamba.
    b ☐ Tuo fratello è un ragazzo in gamba, cioè gli fa male la gamba destra.
    c ☐ Tuo fratello è un ragazzo in gamba, cioè gli manca ogni educazione.
    d ☐ Tuo fratello è un ragazzo in gamba, cioè è bravo e capace.

64. Come possono essere i capelli?
    a ☐ biondi, neri, ricchi.
    b ☐ corti, lunghi, magri.
    c ☐ sereni, grigi, grassi.
    d ☐ castani, folti, ricci.

65. a ☐ Lui prende sempre la macchina per andare in ufficio; veramente la usa troppo.
    b ☐ Lui prende sempre la macchina per andare in ufficio; veramente se ne serve poco.
    c ☐ Lui prende sempre la macchina per andare in ufficio; veramente la usa.
    d ☐ Lui prende sempre la macchina per andare in ufficio; veramente guida.

66. a ☐ Nessuno l'ha visto andare via. È riuscito a darsela a piedi.
    b ☐ Nessuno l'ha visto andare via. È riuscito a darsela a ginocchi.
    c ☐ Nessuno l'ha visto andare via. È riuscito a darsela a gambe.
    d ☐ Nessuno l'ha visto andare via. È riuscito a darsela a zampe.

67. a ☐ Questi ragazzi vanno avanti senza alcuna difficoltà. Trovano sempre tutte le porte aperte.
    b ☐ Questi ragazzi vanno avanti senza alcuna difficoltà. Trovano sempre tutte le finestre aperte.
    c ☐ Questi ragazzi vanno avanti senza alcuna difficoltà. Trovano sempre tutti i buchi aperti.
    d ☐ Questi ragazzi vanno avanti senza alcuna difficoltà. Trovano sempre tutte le case aperte.

68. a ☐ La nostra città è grande. Gli abitanti incrementano di anno in anno.
    b ☐ La nostra città è grande. Gli abitanti aumentano di anno in anno.
    c ☐ La nostra città è grande. Gli abitanti salgono di anno in anno.
    d ☐ La nostra città è grande. Gli abitanti si allargano di anno in anno.

69. a ☐ Sabato abbiamo fatto una bella gita in montagna e abbiamo pranzato alla borsa.
    b ☐ Sabato abbiamo fatto una bella gita in montagna e abbiamo pranzato al sacco.
    c ☐ Sabato abbiamo fatto una bella gita in montagna e abbiamo pranzato alla busta.
    d ☐ Sabato abbiamo fatto una bella gita in montagna e abbiamo pranzato alla scatola.

70. a ☐ Fare tardi a scuola significa: cominciare tardi le lezioni.
    b ☐ Fare tardi a scuola significa: finire l'ultima lezione la sera tardi.
    c ☐ Fare tardi a scuola significa: giungere in ritardo a scuola.
    d ☐ Fare tardi a scuola significa: finire gli studi a una certa età.

PROVE GRADUATE DI PROFITTO ITALIANO LS e L2 VI A • VI B • VI C

Le tre prove di profitto, precedute dalla griglia 6 di controllo dell'autovalutazione e dalla griglia di autovalutazione, si basano su:
a) i primi 2000 elementi sia del *Vocabolario fondamentale della lingua italiana* di G. Sciarone sia del *Lessico di frequenza dell'italiano parlato* di T. De Mauro, F. Mancini, M. Vedovelli, M. Voghera;
b) le funzioni e gli atti comunicativi del *Livello soglia* di N. Galli de' Paratesi;
c) i seguenti argomenti grammaticali: **passato remoto**; **trapassato remoto**; **forma passiva**; **discorso diretto**; **discorso indiretto**; **modi indefiniti**.

CONTROLLA COSA SAI FARE IN ITALIANO!

GRIGLIA 6 PER IL CONTROLLO DELL'AUTOVALUTAZIONE	S	N
→ⓒ **ASCOLTARE**		
Riesco a capire nei particolari, anche in un ambiente rumoroso, quello che mi viene comunicato nella lingua standard.		
Riesco a seguire una conferenza o una presentazione inerenti alla mia specializzazione e ai miei interessi, a condizione che le tematiche mi siano familiari e che la struttura sia semplice e chiara.		
Riesco a capire la maggior parte dei documentari radiofonici se parlati nella lingua standard e percepire l'umore e il tono, ecc., di chi parla.		
Capisco un reportage trasmesso in tv, un film per la tv, un'intervista dal vivo, un talkshow e anche la maggior parte dei film, a condizione che il linguaggio sia articolato in modo standard e non sia dialettale.		
Capisco i punti principali di interventi complessi su argomenti concreti e astratti, a condizione che il linguaggio sia articolato in modo standard; capisco discussioni inerenti alla mia specializzazione.		
ⓒ← **LEGGERE**		
Riesco ad afferrare velocemente il contenuto e l'importanza di notizie, articoli o resoconti su temi che sono in relazione con i miei interessi e il mio lavoro e decidere se vale la pena di approfondirne la lettura.		
Riesco a leggere e capire articoli e resoconti su problemi d'attualità, nei quali gli autori assumono particolari atteggiamenti e sostengono punti di vista specifici.		
Riesco a capire in dettaglio dei testi su temi che rientrano nell'ambito dei miei interessi personali e nel mio campo di specializzazione.		
Riesco a leggere critiche sul contenuto e sulla valutazione di eventi culturali (film, teatro, libri, concerti) e a riassumerne le affermazioni più importanti.		
Riesco a leggere la corrispondenza su temi relativi al mio ambito specialistico, ai miei studi e ai miei interessi e ad afferrarne i punti essenziali.		
Riesco a scorrere velocemente un manuale (per es.: su un programma informatico), trovare e capire le spiegazioni e gli aiuti adeguati per risolvere un problema particolare.		
Alla lettura di un testo narrativo o drammatico, sono in grado di riconoscere i motivi che spingono le persone ad agire e capisco a quali conseguenze portano le loro decisioni.		
ⓒ↔ⓒ **PARTECIPARE A UNA CONVERSAZIONE**		
Riesco a avviare, sostenere e concludere una conversazione con naturalezza e ad assumere con successo, di volta in volta, il ruolo di chi parla o di chi ascolta.		
Riesco a scambiare un gran numero d'informazioni inerenti al mio campo di specializzazione e d'interessi.		
Riesco ad esprimere diversi gradi di emozione e a sottolineare quello che per me è importante in un avvenimento o in un'esperienza		
Sono in grado di partecipare attivamente a una conversazione di una certa lunghezza sulla maggior parte dei temi di interesse generale.		
So motivare e sostenere le mie opinioni in una discussione mediante spiegazioni, argomenti e commenti.		
So contribuire allo svolgimento di una conversazione in un ambito a me familiare confermando, per esempio, quello che capisco della discussione o invitando gli altri a dire qualcosa.		
So condurre un'intervista, preparata antecedentemente, so chiedere se quello che ho capito è corretto e andare più a fondo nel caso di risposte interessanti.		
ⓒ→ **PARLARE IN MODO COERENTE**		
Riesco a fornire descrizioni e resoconti chiari e particolareggiati su moltissimi temi inerenti alla sfera dei miei interessi.		
Riesco a capire e riassumere oralmente brevi estratti di notizie, interviste o servizi giornalistici che contengono prese di posizione, considerazioni e discussioni.		
So spiegare il mio punto di vista riguardo a un problema, indicando i vantaggi e gli inconvenienti delle diverse operazioni.		
✎ **SCRIVERE**		
Riesco a scrivere testi chiari e particolareggiati su differenti temi, nell'ambito dei miei interessi, sotto forma di componimento, rapporto o relazione.		
Riesco a riassumere articoli su temi d'interesse generale.		
Riesco a riassumere informazioni estratte da fonti e media diversi.		
Riesco a scrivere, ad esempio, in una lettera al giornale, indicando i motivi pro o contro un determinato punto di vista.		
So scrivere in maniera particolareggiata e ben leggibile di eventi o esperienze reali o fittizie.		
So scrivere una breve critica su un film o un libro.		
So esprimere in lettere private sentimenti e atteggiamenti differenti e raccontare di temi d'attualità, precisando quello che per me è importante a proposito di un determinato evento.		

INIZIA I TEST CHE SEGUONO SE TI RICONOSCI NELLA DESCRIZIONE EVIDENZIATA!

GRIGLIA PER L'AUTOVALUTAZIONE	A1	A2	B1
CAPIRE / **ASCOLTARE**	Sono in grado di capire espressioni che mi sono familiari o anche frasi molto semplici, concernenti la mia persona, la famiglia, le cose concrete attorno a me, a condizione che si parli lentamente e in modo ben articolato.	Sono in grado di capire singole frasi e parole usate molto correntemente, purché si tratti di cose che sono importanti per me, ad esempio, informazioni semplici che riguardano la mia persona, la famiglia, le spese, il lavoro e l'ambiente circostante. Capisco inoltre l'essenziale di un messaggio o di un annuncio semplice, breve e chiaro.	Sono in grado di capire i punti essenziali di un discorso, a condizione che venga usata una lingua standard chiara che tratta argomenti familiari inerenti al lavoro, alla scuola, al tempo libero ecc. Sono in grado di trarre l'informazione principale da molti programmi radiofonici o televisivi su avvenimenti di attualità o su argomenti che riguardano la mia sfera professionale o di interessi, a condizione che si parli in modo articolato, relativamente lento e chiaro.
LEGGERE	Sono in grado di capire singoli nomi e parole che mi sono familiari nonché frasi molto semplici come, ad esempio, quelle sulle insegne, sui manifesti o sui cataloghi.	Sono in grado di leggere un testo molto breve e semplice, di individuare informazioni concrete e prevedibili in testi quotidiani semplici (per esempio, un annuncio, un prospetto, un menu o un orario); sono inoltre in grado di capire una lettera personale semplice e breve.	Sono in grado di capire un testo in cui si usa soprattutto un linguaggio molto corrente o relativo alla professione esercitata. Sono in grado di capire la descrizione di eventi, sentimenti e desideri in lettere personali.
PARLARE / **PARTECIPARE A UNA CONVERSAZIONE**	Sono in grado di esprimermi in maniera semplice, a condizione che l'interlocutrice o l'interlocutore sia disposta/o a ripetere certe cose in modo più lento o riformularle diversamente aiutandomi così a formulare quello che vorrei dire. Sono in grado di rispondere a domande semplici e di porne in situazioni di necessità immediata o su argomenti che mi sono molto familiari.	Sono in grado di comunicare in una situazione semplice e abituale che consiste in uno scambio semplice e diretto di informazioni che riguardano temi e attività a me familiari. Sono in grado di gestire scambi sociali molto brevi anche se di solito non comprendo abbastanza per poter condurre personalmente la conversazione.	Sono in grado di districarmi nella maggior parte delle situazioni linguistiche riscontrate nei viaggi nella regione in cui si parla la lingua. Sono in grado di partecipare senza preparazione a una conversazione su argomenti che mi sono familiari o che riguardano i miei interessi oppure che concernono la vita di ogni giorno, come la famiglia, gli hobby, il lavoro, i viaggi o avvenimenti attuali.
PARLARE IN MODO COERENTE	Sono in grado di utilizzare espressioni e frasi semplici per descrivere le persone che conosco e dove abito.	Sono in grado di descrivere – usando una serie di frasi e con mezzi linguistici semplici – la mia famiglia, le altre persone, la mia formazione, il mio lavoro attuale o l'ultima attività svolta.	Sono in grado di parlare usando frasi semplici e coerenti per descrivere esperienze, eventi, i miei sogni, speranze o obiettivi. Sono in grado di spiegare e di motivare brevemente le mie opinioni e i miei progetti. Sono in grado di raccontare una storia oppure la trama di un libro o di un film e di descrivere le mie reazioni.
SCRIVERE / **SCRIVERE**	Sono in grado di scrivere una cartolina semplice e breve con, p.es.: i saluti dalle vacanze. Sono inoltre in grado di compilare un modulo come, per esempio, quello degli alberghi con le mie generalità (nome, indirizzo, nazionalità ecc.).	Sono in grado di scrivere un appunto o una comunicazione breve e semplice nonché una lettera personale molto semplice, ad esempio, per porgere i miei ringraziamenti.	Sono in grado di scrivere un testo semplice e coerente su argomenti che mi sono familiari o che mi interessano personalmente nonché lettere personali riferendo esperienze e descrivendo impressioni.

B2	C1	C2	
Sono in grado di capire interventi di una certa lunghezza e conferenze seguendo anche un'argomentazione complessa, a condizione che gli argomenti mi siano abbastanza familiari. Sono in grado di capire alla televisione la maggior parte dei notiziari e dei servizi giornalistici d'attualità. Sono in grado di capire la maggior parte dei film, a condizione che si parli un linguaggio standard.	Sono in grado di seguire interventi di una certa lunghezza, anche se non sono strutturati chiaramente e anche se le relazioni contestuali non sono esposte esplicitamente. Sono in grado di capire senza grande fatica un programma televisivo o un film.	Non ho nessuna difficoltà a capire la lingua parlata sia dal vivo che dai mezzi d'informazione, anche quando si parla velocemente. Ho solo bisogno di un po' di tempo per abituarmi a un accento particolare.	
Sono in grado di leggere e di capire un articolo o un rapporto su questioni d'attualità in cui l'autrice o l'autore sostiene particolari atteggiamenti o punti di vista. Sono in grado di capire un testo letterario contemporaneo in prosa.	Sono in grado di capire un testo specialistico lungo e complesso nonché uno letterario e di percepirne le differenze stilistiche. Sono in grado di capire un articolo specialistico e istruzioni tecniche di una certa lunghezza, anche se non rientrano nel campo della mia specializzazione.	Sono in grado di capire senza sforzo praticamente tutti i tipi di testi scritti, anche se sono astratti o complessi dal punto di vista del linguaggio e del contenuto, per esempio, un manuale, un articolo specialistico o un'opera letteraria.	
Sono in grado di comunicare con un grado di scorrevolezza e spontaneità tali da permettere abbastanza facilmente una conversazione normale con un'interlocutrice o un interlocutore di lingua madre. Sono in grado di partecipare attivamente a una discussione in situazioni a me familiari e di esporre e motivare le mie opinioni.	Sono in grado di esprimermi in modo scorrevole e spontaneo, senza dare troppo spesso la chiara impressione di dover cercare le parole. Sono in grado di usare la lingua con efficacia e flessibilità nella vita sociale e professionale. Sono in grado di esprimere i miei pensieri e le mie opinioni con precisione e di associare con abilità i miei interventi con quelli di altri interlocutori.	Sono in grado di partecipare senza sforzo a qualsiasi conversazione o discussione e ho familiarità con le espressioni idiomatiche e il linguaggio corrente. Sono in grado di esprimermi correntemente e di evidenziare con precisione sfumature più sottili di senso. Quando incontro difficoltà di espressione sono in grado di riprendere e riformularla in maniera così abile che chi mi ascolta non se ne accorge.	
Sono in grado di fornire descrizioni chiare e particolareggiate su molti temi inerenti alla sfera dei miei interessi e sono inoltre in grado di commentare un punto di vista su una questione di attualità, indicando i vantaggi e gli inconvenienti delle diverse opzioni.	Sono in grado di descrivere in maniera chiara e circostanziata fatti complessi, collegandone i punti tematici, esponendo aspetti particolari e concludendo il mio contributo in modo adeguato.	Sono in grado di esporre fatti in modo chiaro, scorrevole e stilisticamente adatto alla situazione. Sono in grado di strutturare la mia presentazione in modo logico, facilitando così a chi ascolta il compito di riconoscere e di fissare nella mente i punti importanti.	
Sono in grado di scrivere testi chiari e dettagliati su numerosi argomenti inerenti alla sfera dei miei interessi e di riportare informazioni in un testo articolato o in un rapporto o di esporre gli argomenti pro e contro un determinato punto di vista. Sono in grado di scrivere lettere in cui rendo esplicito il significato personale di avvenimenti ed esperienze.	Sono in grado di esprimermi per iscritto in maniera chiara e ben strutturata nonché di esporre in modo circostanziato le mie opinioni. Sono in grado di trattare un tema complesso in una lettera, in un testo articolato o in un rapporto e di sottolineare gli aspetti che considero essenziali. Nei miei testi scritti sono in grado di scegliere lo stile che più si addice a chi legge.	Sono in grado di scrivere testi chiari, scorrevoli e stilisticamente adatti ad ogni circostanza. Sono in grado di redigere una lettera esigente, un rapporto lungo o un articolo su questioni complesse e strutturarli con chiarezza per permettere a chi legge di capire e ricordare i punti salienti. Sono in grado di riassumere e criticare per iscritto testi specialistici e letterari.	

VIA

GIORNO	MESE	ANNO

1. a ☐ In questa città ci stiamo proprio bene.

   b ☐ In questa città troviamo proprio bene.

   c ☐ In questa città qua siamo proprio bene.

   d ☐ In questa città qui siamo proprio bene.

2. a ☐ La tua amica ha di bei capelli.

   b ☐ La tua amica ha degli bei capelli.

   c ☐ La tua amica ha dei bei capelli.

   d ☐ La tua amica ha dei belli capelli.

3. a ☐ Lucio e Lucia sono sposati dieci anni fa.

   b ☐ Lucio e Lucia hanno sposato dieci anni fa.

   c ☐ Lucio e Lucia si hanno sposato dieci anni fa.

   d ☐ Lucio e Lucia si sono sposati dieci anni fa.

4. a ☐ Quest'ultima parola non l'ho capita.

   b ☐ Quest'ultima parola non l'ho capito.

   c ☐ Quest'ultima parola non ho capito.

   d ☐ Quest'ultima parola non ho capita.

5. a ☐ Quell'anno avevamo passato le vacanze al mare.

   b ☐ Quell'anno passavamo le vacanze al mare.

   c ☐ Quell'anno passammo le vacanze al mare.

   d ☐ Quell'anno siamo passati le vacanze al mare.

6. a ☐ L'orologio suona ogni l'ora.

   b ☐ L'orologio suona ogni ore.

   c ☐ L'orologio suona ogni ora.

   d ☐ L'orologio suona tutte ore.

7. a ☐ Chiederesti anche tu qualche aiuto se ne avessi bisogno?

   b ☐ Chiedesti anche tu qualche aiuto se ne avessi bisogno?

   c ☐ Chiedereste anche tu qualche aiuto se ne avessi bisogno?

   d ☐ Chiediresti anche tu qualche aiuto se ne avessi bisogno?

8. a ☐ È ora a preparare il caffè.

   b ☐ È ora da preparare il caffè.

   c ☐ È ora di preparare il caffè.

   d ☐ È ora che preparare il caffè.

9. a ☐ Tutte le lettere sono spedite ieri.

   b ☐ Tutte le lettere erano spedite ieri.

   c ☐ Tutte le lettere sono state spedite ieri.

   d ☐ Tutte le lettere erano state spedite ieri.

10. a ☐ Non pensare più a che ti ho detto.

    b ☐ Non pensare più quello che ti ho detto.

    c ☐ Non pensare più che ti ho detto.

    d ☐ Non pensare più a ciò che ti ho detto.

11. a ☐ Dante era nato a Firenze nel 1265.

    b ☐ Dante nasceva a Firenze in 1265.

    c ☐ Dante nacque a Firenze nel 1265.

    d ☐ Dante è nato in Firenze in 1265.

12. a ☐ Se mi spieghi bene, riesco capire.

    b ☐ Se ti spieghi bene a me, riesco a capirti.

    c ☐ Se me lo spieghi bene, riesco a capirlo.

    d ☐ Se me lo spieghi bene, riesco capirlo.

13. a ☐ Esci da qui e non farti più vedere!

    b ☐ Esci da qui e non fatti più vedere!

    c ☐ Esci di qui e non fatti più vedere!

    d ☐ Usci da qui e non ti fai più vedere!

14. a ☐ Quel corso andrà seguito da molti.

    b ☐ Quel corso sarà seguito da molti.

    c ☐ Quel corso sarà seguito di molti.

    d ☐ Quel corso sarà stato seguito di molti.

15. a ☐ Prima di partire chiudero la porta a chiave.

    b ☐ Prima partire chiusero la porta a chiave.

    c ☐ Prima di partire chiesero la porta a chiave.

    d ☐ Prima di partire chiusero la porta a chiave.

16. a ☐ Nonostante che fa caldo, sulla spiaggia c'è ancora poca gente.

b ☐ Nonostante faccia caldo, sulla spiaggia ci sia ancora poca gente.

c ☐ Nonostante faccia caldo, sulla spiaggia c'è ancora poca gente.

d ☐ Nonostante fa caldo, sulla spiaggia c'è ancora poca gente.

17. a ☐ Mi pareva che loro non volevano partire con noi.

b ☐ Mi pareva che loro non volessero partire con noi.

c ☐ Mi parevo che loro non volessero partire con noi.

d ☐ Mi pareva che loro non vorranno partire con noi.

18. a ☐ Mi dica chiaramente quello che pensi.

b ☐ Dimmi chiaramente quello che pensi.

c ☐ Dimmi chiaramente quello che Lei pensa.

d ☐ Dica chiaramente quello che pensi.

19. a ☐ È malato. È una persona per aiutare.

b ☐ È malato. È una persona ad aiutare.

c ☐ È malato. È una persona da aiutare.

d ☐ È malato. È una persona di aiutare.

20. a ☐ Qualora ci fossero delle novità importanti, chiamatemi.

b ☐ Qualora c'erano delle novità importanti, chiamatemi.

c ☐ Qualora ci sono state delle novità importanti, chiamatemi.

d ☐ Qualora ci siano state delle novità importanti, chiamatemi.

21. a ☐ Ho paura che i piccoli siano in pericolo.

b ☐ Ho paura che i piccoli stiano in pericolo.

c ☐ Ho paura che i piccoli siano a pericolo.

d ☐ Ho paura che i piccoli stiano nel pericolo.

22. a ☐ Se domani fossimo liberi, verremmo certamente a trovarvi.

b ☐ Se domani siamo liberi, verremmo certamente a trovarvi.

c ☐ Se domani saremmo liberi, verremo certamente a trovarvi.

d ☐ Se domani fossimo liberi, saremmo venuti certamente a trovarvi.

23. a ☐ Se ascoltando quella canzone, ricordavo momenti felici della mia vita.

b ☐ Ascoltando quella canzone, ricordavo momenti felici della mia vita.

c ☐ Pur ascoltando quella canzone, ricordavo momenti felici della mia vita.

d ☐ Quando ascoltando quella canzone, ricordavo momenti felici della mia vita.

24. a ☐ Rimarremmo molto sorpreso dal loro comportamento.

b ☐ Rimanemmo molto sorpresi dal loro comportamento.

c ☐ Rimanemmo molti sorpresi dal loro comportamento.

d ☐ Rimarremmo molti sorpreso dal loro comportamento.

25. Il professore domanda agli studenti: "Avete controllato i vostri compiti?".

a ☐ Il professore domanda agli studenti che hanno controllato i vostri compiti.

b ☐ Il professore domanda agli studenti che se abbiano controllato i loro compiti.

c ☐ I professore domanda agli studenti che hanno controllato i loro compiti.

d ☐ Il professore domanda agli studenti se hanno controllato i loro compiti.

26. a ☐ Vorrei che voi seguiste i miei consigli qualche volta.

b ☐ Vorrei che voi seguiate i miei consigli qualche volta.

c ☐ Vorrei che voi seguirete i miei consigli qualche volta.

d ☐ Vorrei che voi abbiate seguito i miei consigli qualche volta.

27. a ☐ Guardai i suoi quadri e dissi che erano veramente belli.

b ☐ Guardai i suoi quadri e disse che erano veramente belli.

c ☐ Guardai i suoi quadri e disse che erano stati veramente belli.

d ☐ Guardai i suoi quadri e dissi che sono stati veramente belli.

28. a ☐ Non pensava che io li possa incontrare in quel posto.

b ☐ Non pensava che io li potessi incontrare in quel posto.

c ☐ Non pensava che io li potrò incontrare in quel posto.

d ☐ Non pensava poterli incontrare in quel posto.

29. a ☐ Arrivai tardi, ma riuscii ugualmente a vederli.

b ☐ Arrivai tardi, ma riuscii ugualmente vederli.

c ☐ Arrivai tardi, ma riusci ugualmente di vederli.

d ☐ Arrivai tardi, ma riuscì ugualmente a vederli.

30. a ☐ Le chiavi sono venute dimenticate nella macchina.

b ☐ Le chiavi sono andate dimenticate nella macchina.

c ☐ Le chiavi sono state dimenticate nella macchina.

d ☐ Le chiavi sono stati dimenticati nella macchina.

31. a ☐ Dopo esser arrivate, cercavano subito una camera.

b ☐ Dopo esser arrivati, cercarono subito una camera.

c ☐ Dopo aver arrivato, cercarono subito una camera.

d ☐ Dopo aver arrivati, cercavano subito una camera.

32. a ☐ Abbiamo assistito a uno spettacolo assai divertendo.

b ☐ Abbiamo assistito a uno spettacolo assai divertente.

c ☐ Abbiamo assistito a uno spettacolo assai divertito.

d ☐ Abbiamo assistito uno spettacolo assai divertente.

33. a ☐ Camminando in fretta, arrivo a scuola in un quarto d'ora.

b ☐ Avendo camminando in fretta, arrivo a scuola in un quarto d'ora.

c ☐ Se camminando in fretta, arrivo a scuola in un quarto d'ora.

d ☐ Quando camminando in fretta, arrivo a scuola in un quarto d'ora.

34. a ☐ È urgente: la data di partenza dev'essere decisa entro di oggi.

b ☐ È urgente: la data di partenza viene decisa entro oggi.

c ☐ È urgente: la data di partenza va decisa entro oggi.

d ☐ È urgente: la data di partenza va decisa entro da oggi.

35. Il nonno gli ordinò: "Andatevene!"

a ☐ Il nonno gli ordinò di se ne andare.

b ☐ Il nonno gli ordinò che sene andare.

c ☐ Il nonno gli ordinò che se ne fossero andati.

d ☐ Il nonno gli ordinò di andarsene.

36. a ☐ Solo se alzandoti presto, arriverai in tempo all'appuntamento.

b ☐ Solo alzandoti presto, arriverai in tempo all'appuntamento.

c ☐ Solo ti alzando presto, arriverai in tempo all'appuntamento.

d ☐ Solo ti alzandoti presto, arriverai in tempo all'appuntamento.

37. a ☐ Come sarebbe bello se possiamo vederci anche domani!

b ☐ Come sarebbe bello se potessimo vederci anche domani!

c ☐ Come sarebbe bello se potremo vederci anche domani!

d ☐ Come sarebbe bello se potemmo vederci anche domani!

38. a ☐ È scivolato quando scendendo le scale.

b ☐ È scivolato pur scendendo le scale.

c ☐ È scivolato scendendo le scale.

d ☐ È scivolato mentre scendendo le scale.

39. a ☐ Se fosse più fortunato, ha fatto una carriera migliore.

b ☐ Se fosse stato più fortunato, avrebbe fatto una carriera migliore.

c ☐ Se fosse più fortunato, faceva una carriera migliore.

d ☐ Se fosse stato più fortunato, farà una carriera migliore.

40. a ☐ Mi seguono, signori; prego, da questa parte!

   b ☐ Mi seguino, signori; prego, da questa parte!

   c ☐ Seguino me, signori; prego, da questa parte!

   d ☐ Mi seguano, signori; prego, da questa parte!

41. a ☐ Il neonato è stato curato di un bravissimo pediatra.

   b ☐ Il neonato è venuto curato da un bravissimo pediatra.

   c ☐ Il neonato è stato curato da un bravissimo pediatra.

   d ☐ Il neonato è stato curato per un bravissimo pediatra.

42 a ☐ Vogliono che quell'invito si scriva da te.

   b ☐ Vogliono che quell'invito sia scritto da te.

   c ☐ Vogliono che quell'invito sia stato scritto da te.

   d ☐ Vogliono che quell'invito si scriverà da te.

43. Mi ha consigliato: "Parti subito con la tua famiglia!".

   a ☐ Mi ha consigliato di partire subito con la mia famiglia.

   b ☐ Mi ha consigliato che io partirò subito con la mia famiglia.

   c ☐ Mi ha consigliato che io parta subito con la mia famiglia.

   d ☐ Mi ha consigliato di partire subito con la tua famiglia.

44. a ☐ I signori Belli preferirebbero che il loro figlio frequentasse la facoltà di medicina.

   b ☐ I signori Belli preferirebbero che il loro figlio avrebbe frequentato la facoltà di medicina.

   c ☐ I signori Belli preferiscono che il loro figlio frequentasse la facoltà di medicina.

   d ☐ I signori Belli preferiscono che il loro figlio frequenterà la facoltà di medicina.

45. a ☐ Aspetta! Non tene andare ancora!

   b ☐ Aspetta! Non andartene ancora!

   c ☐ Aspetti! Non ti andare ancora!

   d ☐ Aspetti! Non te ne andare ancora!

46. a ☐ Sarà meglio che controllassero la macchina prima di partire.

   b ☐ Sarebbe meglio che controllino la macchina prima di partire.

   c ☐ Sarebbe meglio che controllassero la macchina prima di partire.

   d ☐ Sarà meglio che controllano la macchina prima di partire.

47. a ☐ Se tu leggerai i giornali, sapresti che cosa avviene al mondo.

   b ☐ Se tu leggi i giornali, sapresti che cosa avviene nel mondo.

   c ☐ Se tu leggessi giornali, sapresti che cosa avviene al mondo.

   d ☐ Se tu leggessi i giornali, sapresti che cosa avviene nel mondo.

48. a ☐ Anche andando a tutta velocità, non riuscirai ad arrivare in tempo alla conferenza.

   b ☐ Anche andando a tutta velocità, non riuscirai arrivare in tempo alla conferenza.

   c ☐ Anche andando a tutta velocità, non riuscirai di arrivare in tempo alla conferenza.

   d ☐ Andando a tutta velocità, non sarai riuscito ad arrivare in tempo alla conferenza.

49. a ☐ Spero che non si commette lo stesso errore.

   b ☐ Spero che non viene commesso lo stesso errore.

   c ☐ Spero che non sia commesso lo stesso errore.

   d ☐ Spero che non vada commesso lo stesso errore.

50. a ☐ Fu stanco al punto che si buttò sul letto e si addormentò di colpo.

   b ☐ Era stanco al punto che si buttò sul letto e si addormentò di colpo.

   c ☐ È stato stanco al punto che si buttava sul letto e si addormentava di colpo.

   d ☐ Era stanco al punto che si è buttato sul letto e si addormentava di colpo.

51. a ☐ Raccontami tutto per filo e per segno, cioè presto presto.

  b ☐ Raccontami tutto per filo e per segno, cioè sinceramente.

  c ☐ Raccontami tutto per filo e per segno, cioè con tutti i particolari.

  d ☐ Raccontami tutto per filo e per segno, cioè subito.

52. a ☐ I figli non vedono il giorno di tornare a casa.

  b ☐ I figli non osservano l'orologio di tornare a casa.

  c ☐ I figli non vedono l'ora di tornare a casa.

  d ☐ I figli non guardano l'ora di tornare a casa.

53. a ☐ Questa carne non mi piace: non sa di niente.

  b ☐ Questa carne non mi piace: non sa niente.

  c ☐ Questa carne non mi piace: non sa nulla.

  d ☐ Questa carne non mi piace: di nulla sa.

54. Che cosa significa nel linguaggio comune: "Andare con il cavallo di San Francesco"?

  a ☐ Andare in chiesa.

  b ☐ Andare a piedi.

  c ☐ Andare lontano.

  d ☐ Andare tra gli animali.

55. a ☐ Il nostro nuovo vicino di casa è un orso, è veramente poco socievole.

  b ☐ Il nostro nuovo vicino di casa è un orso, è molto grasso.

  c ☐ Il nostro nuovo vicino di casa è un orso, è tanto noioso.

  d ☐ Il nostro nuovo vicino di casa è un orso, è sempre fastidioso.

56. a ☐ Va bene, vediamoci oggi pomeriggio. A più presto!

  b ☐ Va bene, vediamoci oggi pomeriggio. A più tardi!

  c ☐ Va bene, vediamoci oggi pomeriggio. A più vicino!

  d ☐ Va bene, vediamoci oggi pomeriggio. A più lontano!

57. a ☐ Qual è il tuo simbolo preferito? Pesci o Acquario?

  b ☐ Qual è il tuo segno zodiacale? Pesci o Acquario?

  c ☐ Qual è il tuo portafortuna prediletto? Pesci o Acquario?

  d ☐ Qual è il tuo amuleto fortunato ? Pesci o Acquario?

58. a ☐ Devo correre alla stazione. Ho pochissimo tempo, non vorrei lasciare il treno.

  b ☐ Devo correre alla stazione. Ho pochissimo tempo, non vorrei abbandonare il treno.

  c ☐ Devo correre alla stazione. Ho pochissimo tempo, non vorrei dimenticare il treno.

  d ☐ Devo correre alla stazione. Ho pochissimo tempo, non vorrei perdere il treno.

59. a ☐ Volevo pregarti perché domani parto. Ciao!

  b ☐ Volevo augurarti perché domani parto. Ciao!

  c ☐ Volevo salutarti perché domani parto. Ciao!

  d ☐ Volevo guardarti perché domani parto. Ciao!

60. "C'è qualche soldo in casa?" significa:

  a ☐ Abbiamo alcune monete?

  b ☐ Abbiamo tanti soldi?

  c ☐ Non abbiamo un soldo?

  d ☐ Abbiamo un po' di denaro?

61. Qualcuno ti sta facendo un racconto lungo e noioso, tenti di interromperlo:

  a ☐ Non ne posso più di questa storia.

  b ☐ Racconti solo bugie.

  c ☐ Non credo a una parola di quello che dici.

  d ☐ Non tutti hanno la capacità di fare un racconto in maniera semplice.

62. Vai in una banca italiana. Hai bisogno di euro, perciò dici:

  a ☐ Vorrei avere tanti euro.

  b ☐ Per gentilezza, mi cambia questa banconota da 100 dollari in euro?

  c ☐ Ho bisogno di cento euro. Me li può dare?

  d ☐ Qual è la quotazione odierna dell'euro rispetto al dollaro?

63. L'impiegato della banca ti chiede come preferisci gli euro:

a ☐ Preferisce solamente monete?

b ☐ Desidera banconote di piccolo taglio?

c ☐ Ha mai visto le banconote in euro e le monete in centesimi?

d ☐ Le ricordo che l'euro vale 1936,27 lire.

64. Un signore ti spiega come andare al teatro. Tu non hai capito bene. Gli dici:

a ☐ Non è facile orientarsi in una città che non si conosce.

b ☐ Mi scusi, ma mi sembra che Lei mi prenda in giro.

c ☐ Non ho capito un'acca; Lei non parla, balbetta.

d ☐ Le dispiacerebbe ripetere in modo che io possa seguire sulla mappa il percorso?

65. Tuo fratello ti racconta con entusiasmo una sua avventura. Non ti interessa, quindi dici:

a ☐ Guarda, non m'importa un fico secco.

b ☐ Non piace affatto questa storia.

c ☐ Dovresti vergognarti di questa storia.

d ☐ Questa storia non è poi così bella!

66. Sai che per andare al centro si deve prendere l'autobus numero 21, ma non ricordi dove è la fermata. Chiedi ad una signora:

a ☐ Signora, scusi, Lei dove prende l'autobus?

b ☐ Sarebbe così gentile da dirmi se il 21 passa qui vicino?

c ☐ Vorrebbe aiutarmi a prendere l'autobus giusto?

d ☐ Che autobus prende di solito?

67. Hai invitato al ristorante un amico. Paghi il conto, ma gli dici che qualcun altro aveva pagato per voi. Il tuo amico scherzando replica:

a ☐ Che cosa vuoi farmi credere?

b ☐ Non capisco dove vuoi arrivare.

c ☐ Allora ci veniamo anche domani.

d ☐ Meglio così, perché qui si mangia da cani.

68. Uno degli studenti stranieri arriva spesso in ritardo alla lezione d'italiano. L'insegnante gli dice:

a ☐ Mi piacciono gli studenti che disturbano la lezione.

b ☐ Sarebbe inutile che Lei comprasse una sveglia.

c ☐ Bisognerebbe che Lei arrivasse in orario come tutti gli altri.

d ☐ Non mi dispiace interrompere la lezione a causa di un maleducato.

69. Tu e Gianni siete cresciuti insieme. Attualmente lui ha molti problemi. Tu gli dici:

a ☐ Ti aiuterò. Sai che i veri amici si riconoscono nel momento del bisogno.

b ☐ Ora non ho tempo, ma se pensi che posso esserti utile, chiamami in ufficio.

c ☐ Lasciami stare! Di problemi ne ho fin troppi anch'io.

d ☐ Devi essere più calmo, avere pazienza. Vedrai che tutto passerà.

70. Devi prendere una decisione importante per il tuo futuro. Ne parli con tuo padre che ti dice:

a ☐ Voi giovani dovreste essere più responsabili e meno superficiali.

b ☐ Oggi la vita per i giovani è sempre più difficile.

c ☐ Devi valutare bene i pro e i contro e poi decidere.

d ☐ Sarebbe scorretto se io decidessi per te.

VI B

GIORNO	MESE	ANNO

1. a ☐ Che bello vederti! Quando arrivasti?
   b ☐ Che bello vederti! Quando arrivavi?
   c ☐ Che bello vederti! Quando eri arrivato?
   d ☐ Che bello vederti! Quando sei arrivato?

2. a ☐ Se resti fuori a pranzo, avvertimi!
   b ☐ Se resti fuori a pranzo, mi avverti!
   c ☐ Se resti fuori a pranzo, avvertami!
   d ☐ Se resti fuori a pranzo, mi avverta!

3. a ☐ Quel terreno qui di chi è?
   b ☐ Questo terreno là di chi è?
   c ☐ Quel terreno lì di chi è?
   d ☐ Quel terreno là a chi è?

4. a ☐ La nostra scuola è più grande che vostra.
   b ☐ La nostra scuola è più grande di vostra scuola.
   c ☐ La nostra scuola è più grande della vostra.
   d ☐ La nostra scuola è più grande che la vostra scuola.

5. a ☐ Farei di tutto ad aiutarlo.
   b ☐ Farei tutto ad aiutarlo.
   c ☐ Farei di tutto per aiutarlo.
   d ☐ Farei da tutto per aiutarlo.

6. a ☐ Carlo ha deciso andare all'estero.
   b ☐ Carlo ha deciso di andare all'estero.
   c ☐ Carlo ha deciso ad andare all'estero.
   d ☐ Carlo ha deciso per andare all'estero.

7. a ☐ Sarebbe bello che voi imparaste a memoria alcune poesie.
   b ☐ Sarebbe bello che voi impariate a memoria alcune poesie.
   c ☐ Sarebbe bello che voi imparavate a memoria alcune poesie.
   d ☐ Sarebbe bello che voi imparerete a memoria alcune poesie.

8. a ☐ Mio nonno smetteva di lavorare quando ebbe 60 anni.
   b ☐ Mio nonno smise di lavorare quando aveva 60 anni.
   c ☐ Mio nonno smise lavorare quando aveva 60 anni.
   d ☐ Mio nonno ha smesso di lavorare quando ebbe 60 anni.

9. a ☐ I ragazzi presero quella decisione un po' troppo in fretta.
   b ☐ I ragazzi prendevano quella decisione un po' troppo in fretta.
   c ☐ I ragazzi pendettero quella decisione un po' troppo in fretta.
   d ☐ I ragazzi prenderono quella decisione un po' troppo in fretta.

10. a ☐ Sii gentile, aiuti il tuo amico!
    b ☐ Sia gentile, aiuta il tuo amico!
    c ☐ Sii gentile, aiuta il tuo amico!
    d ☐ Sia gentile, aiuti il tuo amico!

11. a ☐ Comportandosi così, ti metterai nei guai.
    b ☐ Se comportandoti così, ti metterai nei guai.
    c ☐ Ti comportando così, ti metterai nei guai.
    d ☐ Comportandoti così, ti metterai nei guai.

12. a ☐ Fecero la cura mentre seguendo precisamente le istruzioni del medico.
    b ☐ Fecero la cura per seguendo precisamente le istruzioni del medico.
    c ☐ Fecero la cura pur seguendo precisamente le istruzioni del medico.
    d ☐ Fecero la cura seguendo precisamente le istruzioni del medico.

13. a ☐ Li avremmo accompagnato alla stazione se fossimo stati liberi.
    b ☐ Li avremmo accompagnati alla stazione se fossimo stati liberi.
    c ☐ Li avremmo accompagnati alla stazione se saremmo stati liberi.
    d ☐ Li avessimo accompagnato alla stazione se eravamo stati liberi.

14. a ☐ Credo che lui abbia saputo qual'è il suo dovere.

b ☐ Credo che lui sappia qual è il suo dovere.

c ☐ Credo che lui sa qual è il suo dovere.

d ☐ Credo che lui sappia qual'è il suo dovere.

15. a ☐ Sebbene lui fa di tutto, non riesce convincermi.

b ☐ Sebbene lui faccia di tutto, non riesce convincermi.

c ☐ Sebbene lui abbia fatto di tutto, non riesce a convincermi.

d ☐ Sebbene lui ha fatto di tutto, non riesce a convincermi.

16. a ☐ Dopo di aver scritto la lettera, la spedii subito.

b ☐ Dopo aver scritta la lettera, la spedii subito.

c ☐ Dopo aver scritto la lettera, la spedii subito.

d ☐ Dopo che aver scritta la lettera, la spedii subito.

17. a ☐ Ecco le caramelle. Mangiatene quanti volete!

b ☐ Ecco le caramelle. Mangiatene quante ne volete!

c ☐ Ecco le caramelle. Mangiate quante volete!

d ☐ Ecco le caramelle. Mangiate tutte che ne volete!

18. a ☐ Le cose stanno esattomente come ti ho detto.

b ☐ Le cose stanno esatte come ti ho detto.

c ☐ Le cose stanno esatto come ti ho detto.

d ☐ Le cose stanno esattamente come ti ho detto.

19. La mamma grida ai ragazzi: "Tacete!".

a ☐ La mamma grida ai ragazzi che tacete.

b ☐ La mamma grida ai ragazzi che tacciono.

c ☐ La mamma grida ai ragazzi di tacere.

d ☐ La mamma grida ai ragazzi tacciano.

20. Mi domandò: "Puoi farmi un favore?".

a ☐ Mi domandò se io posso fargli un favore.

b ☐ Mi domandò se io potessi fargli un favore.

c ☐ Mi domandò se io potevo fare un favore.

d ☐ Mi domandò se io potrò farti un favore.

21. Volle sapere: "Dove andate?".

a ☐ Volle sapere dove sono andati.

b ☐ Volle sapere dove erano andati.

c ☐ Volle sapere dove andavano.

d ☐ Volle sapere dove andarono.

22. a ☐ La notizia è stata data nella radio ieri.

b ☐ La notizia è stata data per la radio ieri.

c ☐ La notizia è stata data dalla radio ieri.

d ☐ La notizia è data dalla radio ieri.

23. a ☐ Voglio che la nostra proposta viene accettata.

b ☐ Voglio che la nostra proposta sia accettata.

c ☐ Voglio che la nostra proposta va accettata.

d ☐ Voglio che la nostra proposta si accetta.

24. a ☐ Invitammo anche alcuni parenti, ma non vollero venire.

b ☐ Invitammo anche alcuni parenti, ma non volerono venire.

c ☐ Invitammo anche qualche parenti, ma non vollero venire.

d ☐ Invitammo anche qualche parente, ma non vollerono venire.

25. a ☐ Fa molti anni lui sapeva verità.

b ☐ Molti anni fa lui sapeva verità.

c ☐ Fa molti anni lui seppe la verità.

d ☐ Molti anni fa lui seppe la verità.

26. a ☐ Poiché sapendo come stavano le cose, è rimasto zitto.

b ☐ Pur sapendo come stavano le cose, è rimasto zitto.

c ☐ Benché sapendo come stavano le cose, è rimasto zitto.

d ☐ Perché sapendo come stavano le cose, è rimasto zitto.

27. a ☐ Non gli dicemmo niente, se non fosse necessario.

b ☐ Non gli diremmo niente, se non fosse stato necessario.

c ☐ Non gli avremmo detto niente, se non fosse stato necessario.

d ☐ Non gli diremo niente, se non fosse necessario.

28. a ☐ Mi accompagna, se te lo chiedessi?

b ☐ Mi accompagneresti, se te lo chiedessi?

c ☐ Mi accompagnerai, se te lo chiederei?

d ☐ Mi accompagnerebbe, se te lo chiedessi?

29. a ☐ Questa lettera dev'essere scritto a mano.

b ☐ Questa lettera viene scritta a mano.

c ☐ Questa lettera dev'essere scritta a mano.

d ☐ Questa lettera deve andare scritta a mano.

30. a ☐ Vorrei che la stessa domanda mi sia ripetuta da te.

b ☐ Vorrei che la stessa domanda mi sia stata ripetuta da te.

c ☐ Vorrei che la stessa domanda mi fosse ripetuta da te.

d ☐ Vorrei che la stessa domanda mi si ripetesse da te.

31. a ☐ I due si rividero dopo molti anni e non si riconoscevano subito.

b ☐ I due si rividero dopo molti anni e non si riconobbero subito.

c ☐ I due si rivedevano dopo molti anni e non si riconoscevano subito.

d ☐ I due rividero dopo molti anni e non riconobbero subito.

32. a ☐ Quando vedendoti in difficoltà, ti offro il mio aiuto.

b ☐ Vedoti in difficoltà, ti offro il mio aiuto.

c ☐ Vedendoti in difficoltà, ti offro il mio aiuto.

d ☐ Ti vedendo in difficoltà, ti offro il mio aiuto.

33. a ☐ Ieri saremmo arrivati prima se ci fosse stato meno traffico.

b ☐ Ieri saremmo arrivati prima se ci fosse meno traffico.

c ☐ Ieri arriveremmo prima se ci fosse stato meno traffico.

d ☐ Ieri saremmo arrivati prima se ci sia meno traffico.

34. a ☐ Farmi capire come intendi comportarti.

b ☐ Fammi capire come intendi comportarti.

c ☐ Mi faccia capire come intendi comportarti.

d ☐ Mi fa' capire come intendi comportarti.

35. a ☐ È meglio che voi non diciate nulla alla mamma per non preoccuparla.

b ☐ È meglio che voi non diciate nulla alla mamma per non preoccuparsi.

c ☐ È meglio che voi non avete detto nulla alla mamma per non preoccuparsi.

d ☐ È meglio che voi non direte nulla alla mamma per non preoccuparla.

36. a ☐ Che fame! E che mangiamo qualcosa di buono?

b ☐ Che fame! E se mangiassimo qualcosa di buono?

c ☐ Che fame! E se mangeremo qualcosa di buono?

d ☐ Che fame! E se mangeremmo qualcosa di buono?

37. a ☐ Spero che ieri non fu commesso lo stesso errore.

b ☐ Spero che ieri non sia commesso lo stesso errore.

c ☐ Spero che ieri non sia stato commesso lo stesso errore.

d ☐ Spero che ieri non venga commesso lo stesso errore.

38. a ☐ E la luce? Da chi è stata spenta?

b ☐ E la luce? Da chi si spegne?

c ☐ E la luce? Da chi è venuta spenta?

d ☐ E la luce? Da chi si è spenta?

39. a ☐ L'anziano signore salì nelle scale a fatica.

b ☐ L'anziano signore salì le scale a fatica.

c ☐ L'anziano signore salì alle scale a fatica.

d ☐ L'anziano signore salì sulle scale a fatica.

40. a ☐ Carlo faceva le valigie e partiva subito.

b ☐ Carlo fece le valigie e partiva subito.

c ☐ Carlo fece le valigie e partì subito.

d ☐ Carlo fece le valigie ed è partito subito.

41. Abbiamo chiesto: "Quando tornerà Lucia?".

  a ☐ Abbiamo chiesto quando sarebbe tornata Lucia.

  b ☐ Abbiamo chiesto che quando sarebbe tornata Lucia.

  c ☐ Abbiamo chiesto quando sarà tornata Lucia.

  d ☐ Abbiamo chiesto quando torna Lucia.

42. Mi disse: "Sembra che tu non capisca niente".

  a ☐ Mi disse che sembra che io non capisca niente.

  b ☐ Mi disse che sembrò che io non capissi niente.

  c ☐ Mi disse che sembrava che io non capissi niente.

  d ☐ Mi disse che sembrava che io non avessi capito niente.

43. Mario le scrisse: "Vorrei che tu mi prestassi un po' di attenzione".

  a ☐ Mario le scrisse che vorrebbe che lei gli prestasse un po' di attenzione.

  b ☐ Mario le scrisse che voleva che lei gli prestava un po' di attenzione.

  c ☐ Mario le scrisse che avrebbe voluto che lei gli prestasse un po' di attenzione.

  d ☐ Mario le scrisse che avrebbe voluto che lei gli avrebbe prestato un po' di attenzione.

44. a ☐ Questi problemi verranno spiegati domani dal nostro professore.

  b ☐ Questi problemi sarebbero spiegati domani dal nostro professore.

  c ☐ Questi problemi verrebbero spiegati domani dal nostro professore.

  d ☐ Questi problemi sarebbero stati spiegati domani dal nostro professore.

45. a ☐ Chi ti ha detta la verità?

  b ☐ Da chi ti è stata detta la verità?

  c ☐ Da chi ti è detto la verità?

  d ☐ Da chi ti è venuta detta la verità?

46. a ☐ Quella sera ho avuto tanto sonno e andai a letto presto.

  b ☐ Quella sera ebbi tanto sonno e andavo a letto presto.

  c ☐ Quella sera ebbi tanto sonno e andai a letto presto.

  d ☐ Quella sera avevo tanto sonno e andai a letto presto.

47. a ☐ Non dava l'esame perché non era preparato.

  b ☐ Non dette l'esame perché non è stato preparato.

  c ☐ Non diede l'esame perché non era preparato.

  d ☐ Non dette l'esame perché non è stato preparato.

48. a ☐ Nella nostra scuola si può insegnare diverse lingue straniere.

  b ☐ Nella nostra scuola vanno insegnate diverse lingue straniere.

  c ☐ Nella nostra scuola vengono insegnato diverse lingue straniere.

  d ☐ Nella nostra scuola si insegnano diverse lingue straniere.

49. a ☐ Sebbene non avevo fame, ho mangiato lo stesso un dolce.

  b ☐ Sebbene non avessi fame, ho mangiato lo stesso un dolce.

  c ☐ Sebbene non avevo fame, mangiavo lo stesso un dolce.

  d ☐ Sebbene non avessi fame, mangiavo lo stesso un dolce.

50. Ci domandarono: "Come fate a sapere tutto su queste cose?".

  a ☐ Ci domandarono come abbiamo fatto a sapere tutto su quelle cose.

  b ☐ Ci domandarono come facevamo a sapere tutto su quelle cose.

  c ☐ Ci domandarono che come facessimo a sapere tutto su queste cose.

  d ☐ Ci domandarono come facemmo a sapere tutto su queste cose.

51. a ☐ Conoscete a che ora parte il treno per Milano?

b ☐ Sapete a che ora parte il treno per Milano?

c ☐ Sapete a che ora parte il treno a Milano?

d ☐ Conoscete a che ora parte il treno a Milano?

52. a ☐ La sorella di suo padre è sua nonna.

b ☐ La sorella di suo padre è sua zia.

c ☐ La sorella di suo padre è sua moglie.

d ☐ La sorella di suo padre è sua nipote.

53. a ☐ Come mai sei sempre distratto quando lavori? Sembra che tu abbia fatto anche questo lavoro con le mani.

b ☐ Come mai sei sempre distratto quando lavori? Sembra che tu abbia fatto anche questo lavoro coi piedi.

c ☐ Come mai sei sempre distratto quando lavori? Sembra che tu abbia fatto anche questo lavoro con le gambe.

d ☐ Come mai sei sempre distratto quando lavori? Sembra che tu abbia fatto anche questo lavoro con le dita.

54. a ☐ Dopo il segnale acustico si prega di impostare il numero telefonico dell'abbonato.

b ☐ Dopo il segnale acustico si prega di compilare il numero telefonico dell'abbonato.

c ☐ Dopo il segnale acustico si prega di produrre il numero telefonico dell'abbonato.

d ☐ Dopo il segnale acustico si prega di comporre il numero telefonico dell'abbonato.

55. a ☐ Mentre il professore spiega, queste ragazze sognano ad orecchie aperte.

b ☐ Mentre il professore spiega, queste ragazze sognano a bocca aperta.

c ☐ Mentre il professore spiega, queste ragazze sognano a braccia aperte.

d ☐ Mentre il professore spiega, queste ragazze sognano ad occhi aperti.

56. a ☐ Mi chiedo, ma devo proprio andare.

b ☐ Mi scuso, ma devo proprio andare.

c ☐ Mi perdono, ma devo proprio andare.

d ☐ Mi perdo, ma devo proprio andare.

57. a ☐ Non ha smesso di studiare anche se non aveva molta voglia di sedere sui libri.

b ☐ Non ha smesso di studiare anche se non aveva molta voglia di essere sui libri.

c ☐ Non ha smesso di studiare anche se non aveva molta voglia di stare sopra i libri.

d ☐ Non ha smesso di studiare anche se non aveva molta voglia di passare sopra i libri.

58. a ☐ Gli amici hanno parlato del molto e del poco.

b ☐ Gli amici hanno parlato del più e del meno.

c ☐ Gli amici hanno parlato del bello e del brutto.

d ☐ Gli amici hanno parlato del tutto e del niente.

59. a ☐ Le vie del Signore sono diritte.

b ☐ Le vie del Signore sono belle.

c ☐ Le vie del Signore sono infinite.

d ☐ Le vie del Signore sono lunghe.

60. a ☐ Non ho finito il lavoro perché verso le otto è andata la luce.

b ☐ Non ho finito il lavoro perché verso le otto è uscita la luce.

c ☐ Non ho finito il lavoro perché verso le otto è finita la luce.

d ☐ Non ho finito il lavoro perché verso le otto è mancata la luce.

61. Sei al ristorante. Finito il pranzo, ti rivolgi al cameriere. Che cosa chiedi?

a ☐ Dove e quando posso pagare?

b ☐ Mi prepari il conto e mi faccia la ricevuta fiscale, per favore.

c ☐ Qui si mangia molto bene?

d ☐ Si sieda con noi a prendere un caffè!

62. Telefoni a Mario che non è in casa. Che cosa dici alla persona che ti risponde?

a ☐ Ma che cosa fa, va sempre in giro?

b ☐ Mi sa dire quando lo potrò trovare?

c ☐ Non chiamerò più per non disturbare.

d ☐ È vero che "chi cerca trova"?

63. Hai frequentato un corso d'italiano in Italia. Quando torni nel tuo Paese i tuoi amici vogliono avere informazioni e consigli:

a ☐ Rifaresti quest'esperienza?

b ☐ Pensi di avere sfruttato al massimo la tua permanenza in Italia?

c ☐ Ora ci racconti tutto nei minimi dettagli.

d ☐ Che ne pensi se anche noi decidessimo di frequentare un corso in Italia?

64. Che cosa dici ironicamente ad uno studente che entra in classe per ultimo e non chiude la porta?

a ☐ Vorrei sapere chi chiuderà la porta.

b ☐ Si dovrebbe chiudere la porta, perché fa freddo.

c ☐ Non mi piace fare lezione con la porta aperta.

d ☐ Abiti al Colosseo?

65. Vuoi andare a teatro, ma non hai ancora il biglietto. Telefoni al botteghino:

a ☐ È valido l'abbonamento per lo spettacolo di stasera?

b ☐ Potrei pagare con la carta di credito?

c ☐ Ci sono ancora poltrone disponibili per stasera?

d ☐ Potrebbe dirmi chi è il regista dello spettacolo?

66. Non senti bene cosa ti dicono al telefono. Che cosa chiedi?

a ☐ Purtroppo è difficile capire ciò che dice.

b ☐ Potrebbe parlare un po' più forte?

c ☐ Lei riesce a capirmi bene?

d ☐ Mi dispiace doverLe chiedere di essere più chiaro.

67. Telefoni a una coppia che sta per sposarsi:

a ☐ Congratulazioni, vi auguro ogni bene!

b ☐ Condivido la vostra decisione!

c ☐ Dovete sapere che la vita di coppia non è sempre facile.

d ☐ Ricordatevi che se siete fortunati, peggio non potrebbe andarvi.

68. Sei in macchina con un amico che guida in modo pericoloso:

a ☐ Fammi la cortesia di essere più prudente.

b ☐ Ti dispiace fermarti?

c ☐ Non fermarti in curva!

d ☐ Potresti tenere la destra?

69. Incontri un'amica che è appena tornata dal mare. Le chiedi se si è divertita. Ti risponde:

a ☐ Macché, non dirmi niente, non poteva andare peggio.

b ☐ Ho passato tutto il tempo in spiaggia.

c ☐ Ha fatto un gran caldo.

d ☐ Non ho mai fatto niente.

70. Sei un insegnante. I tuoi allievi ti fanno gli auguri di buone feste. Come rispondi loro?

a ☐ Crepi il lupo.

b ☐ Grazie, presenterò.

c ☐ Grazie, li ricambio di cuore a voi e alle vostre famiglie!

d ☐ Ringrazio, ma non ce n'era bisogno!

VI C

GIORNO	MESE	ANNO

1. a ☐ Hai superato l'esame e adesso puoi scriverti al corso successivo.

    b ☐ Hai superato l'esame e adesso ti puoi scrivere al corso successivo.

    c ☐ Hai superato l'esame e adesso puoi iscrivere al corso successivo.

    d ☐ Hai superato l'esame e adesso ti puoi iscrivere al corso successivo.

2. a ☐ Ti prego, gli faccia questo favore!

    b ☐ La prego, fagli quello favore!

    c ☐ La prego, gli faccia questo favore!

    d ☐ La prego, gli fa' quel favore!

3. a ☐ Perché non hai pulito le scarpe prima entrare?

    b ☐ Perché non hai pulite le scarpe prima di entrare?

    c ☐ Perché non hai pulito le scarpe prima che entri?

    d ☐ Perché non hai pulito le scarpe prima di entrare?

4. a ☐ Non mi sono ricordato di passare all'agenzia turistica.

    b ☐ Non ho ricordato passare all'agenzia turistica.

    c ☐ Non mi sono ricordato passare all'agenzia turistica.

    d ☐ Non ho ricordato che passare all'agenzia turistica.

5. a ☐ La prossima settimana saremmo andati al mare, se facesse bel tempo.

    b ☐ La prossima settimana andremmo al mare, se facesse bel tempo.

    c ☐ La prossima settimana saremmo andati al mare, se avesse fatto bel tempo.

    d ☐ La prossima settimana andremmo al mare, se avesse fatto bel tempo.

6. a ☐ Non conosco lo scrittore di chi avete parlato.

    b ☐ Non conosco lo scrittore di che avete parlato.

    c ☐ Non conosco lo scrittore di quale avete parlato.

    d ☐ Non conosco lo scrittore di cui avete parlato.

7. a ☐ Claudia ha dovuto telefonarmi alle dodici, ma si è dimenticata.

    b ☐ Claudia ha dovuto telefonarmi alle dodici, ma ha dimenticato.

    c ☐ Claudia doveva telefonarmi alle dodici, ma se n'è dimenticata.

    d ☐ Claudia doveva telefonarmi alle dodici, ma s'è ne dimenticata.

8. a ☐ Ieri non sono uscito perché stavo poco bene.

    b ☐ Ieri non sono uscito perché ero stato poco bene.

    c ☐ Ieri non uscivo perché stavo poco bene.

    d ☐ Ieri non uscivo perché sono stato poco bene.

9. a ☐ Sono senza soldi. Li ho spesi tanti.

    b ☐ Sono senza soldi. Li ho spesi tutti.

    c ☐ Sono senza soldi. Ne ho spesi tutti.

    d ☐ Sono senza soldi. Ho speso tanti.

10. a ☐ L'autobus era pieno. Abbiamo viaggiato a piedi.

    b ☐ L'autobus era pieno. Abbiamo viaggiato in piedi.

    c ☐ L'autobus era pieno. Abbiamo viaggiato con piedi.

    d ☐ L'autobus era pieno. Abbiamo viaggiato sui piedi.

11. a ☐ Puoi prestarci questo libro o serve te?

    b ☐ Puoi prestare questo libro o serve a te?

    c ☐ Puoi prestare questo libro o ti serve?

    d ☐ Puoi prestarci questo libro o serve a te?

12. a ☐ Spiegami perché sei sempre così nervoso!

    b ☐ Spieghimi perché sei sempre così nervoso!

    c ☐ Mi spiega perché sei sempre così nervoso!

    d ☐ Mi spieghi perché sei sempre così nervoso!

13. a ☐ È molto importante che gli studenti imparano bene tutte queste regole.

    b ☐ È molto importante che gli studenti impareranno bene tutte queste regole.

    c ☐ È molto importante che gli studenti imparino bene tutte queste regole.

    d ☐ È molto importante che gli studenti imparono bene tutte queste regole.

14. a ☐ La ragazza gridava fino a perdere la voce.

b ☐ La ragazza ha gridato fino perdere la voce.

c ☐ La ragazza gridò fino che perdere la voce.

d ☐ La ragazza gridò fino a perdere la voce.

15. a ☐ Lessi la notizia e scrivevo subito quella lettera.

b ☐ Lessi la notizia e scrissi subito quella lettera.

c ☐ Leggevo la notizia e scrissi subito quella lettera.

d ☐ Leggevo la notizia e scrivevo subito quella lettera.

16. a ☐ Desidererei che voi partiate non troppo presto.

b ☐ Desidererei che voi non partireste troppo presto.

c ☐ Desidererei che voi non partiste troppo presto.

d ☐ Desidererei che voi non siate partiti troppo presto.

17. Quante lettere avete ricevuto in questi giorni?

a ☐ Io ne ho ricevuta nessuna, lui invece ne ha ricevute parecchie.

b ☐ Io non ne ho ricevuta nessuna, lui invece ha ricevuto parecchie.

c ☐ Io non ho ricevuto nessuna, lui invece ne ha ricevute parecchie.

d ☐ Io non ne ho ricevuta nessuna, lui invece ne ha ricevute parecchie.

18. a ☐ E la lezione chi vi spiegherà?

b ☐ E la lezione da chi vi sarà spiegata?

c ☐ E la lezione chi vi verrà spiegata?

d ☐ E la lezione da chi vi andrà spiegata?

19. "Bisogna riconoscere i propri errori" si può anche dire:

a ☐ I propri errori sono riconosciuti.

b ☐ I propri errori vengono riconosciuti.

c ☐ I propri errori vanno riconosciuti.

d ☐ I propri errori sono stati riconosciuti.

20. a ☐ Qualora era necessario, contate pure su di me.

b ☐ Qualora fosse necessario, contate pure su di me.

c ☐ Qualora sia stato necessario, contate pure su di me.

d ☐ Qualora è stato necessario, contate pure su di me.

21. a ☐ In un attimo si accendevano tutte le luci.

b ☐ In un attimo si accesero tutte le luci.

c ☐ In un attimo erano accese tutte le luci.

d ☐ In un attimo erano state accese tutte le luci.

22. a ☐ Ricordarono avvertire i vicini di casa.

b ☐ Ricordavano avvertire i vicini di casa.

c ☐ Si ricordarono di avvertire i vicini di casa.

d ☐ Si ricordarono ad avvertire i vicini di casa.

23. a ☐ Quell'anno è venuto un inverno freddissimo con tanta neve.

b ☐ Quell'anno era venuto un inverno freddissimo con tanto neve.

c ☐ Quell'anno era un inverno freddissimo con tanto neve.

d ☐ Quell'anno venne un inverno freddissimo con tanta neve.

24. Mi pregò: "Dimmi cosa pensi!".

a ☐ Mi pregò di dirgli cosa pensavo.

b ☐ Mi pregò di dire cosa penso.

c ☐ Mi pregò di dirgli cosa avevo pensato.

d ☐ Mi pregò di dire cosa ho pensato.

25. a ☐ Non riesco a ricordare il nome della via in quale abita Franco.

b ☐ Non riesco a ricordare il nome della via in che abita Franco.

c ☐ Non riesco a ricordare il nome della via nel quale abita Franco.

d ☐ Non riesco a ricordare il nome della via in cui abita Franco.

26. a ☐ È una persona di chi problemi vanno risolti al più presto possibile.

b ☐ È una persona della quale problemi vanno risolti al più presto possibile.

c ☐ È una persona i cui problemi vanno risolti al più presto possibile.

d ☐ È una persona di cui problemi vanno risolti al più presto possibile.

27. Sei in un ristorante cinese con un amico; gli domandi perché non usa le bacchette per mangiare. Lui risponde:

a ☐ Non so usarle correttamente.

b ☐ Non conosco usarle correttamente.

c ☐ Non ce ne sono abituato.

d ☐ Non ci mi sono abituato.

28. a ☐ La pioggia di cui cade da diversi giorni provocherà gravi danni.

b ☐ La pioggia che cade da diversi giorni provocherà gravi danni.

c ☐ La pioggia quale cade da diversi giorni provocherà gravi danni.

d ☐ La pioggia chi sta cadendo da diversi giorni provocherà gravi danni.

29. a ☐ Parlavo lentamente perché tutti mi capivano.

b ☐ Parlavo lentamente perché tutti mi capissero.

c ☐ Parlavo lentamente perché tutti mi capiscano.

d ☐ Parlavo lentamente perché tutti mi avessero capito.

30. a ☐ Nella città dove vivono alcuni miei parenti possono ammirare molte opere d'arte.

b ☐ Nella città in cui vivono qualche miei parenti si possono ammirare molte opere d'arte.

c ☐ Nella città che vivono alcuni miei parenti possono ammirare molte opere d'arte.

d ☐ Nella città in cui vivono alcuni miei parenti si possono ammirare molte opere d'arte.

31. a ☐ Essendo un po' stanchi, abbiamo rinunciato a quel viaggio.

b ☐ Essendo un po' stanchi, abbiamo rinunciato quel viaggio.

c ☐ Perché essendo un po' stanchi, abbiamo rinunciato a quel viaggio.

d ☐ Perché un po' stanchi, abbiamo rinunciato a quel viaggio.

32. a ☐ Il treno da cui siamo scesi proseguirà tra poco a Firenze.

b ☐ Il treno da cui siamo scesi proseguirà in poco per Firenze.

c ☐ Il treno da cui siamo scesi proseguirà tra poco per Firenze.

d ☐ Il treno da cui siamo scesi proseguirà a poco per Firenze.

33. a ☐ Bada che il bambino non sta cadendo per terra!

b ☐ Bada che il bambino non cada per terra!

c ☐ Bada che il bambino non cade sulla terra!

d ☐ Bada che il bambino non cadrà su terra!

34. Paolo mi chiese: "Dove è andata Anna ieri pomeriggio?".

a ☐ Paolo mi chiese dove è andata Anna ieri pomeriggio.

b ☐ Paolo mi chiese dove sia andata Anna il pomeriggio prossimo.

c ☐ Paolo mi chiese dove era andata Anna il pomeriggio precedente.

d ☐ Paolo mi chiese dove fosse andata Anna il pomeriggio passato.

35. Il professore ci disse: "Questo vostro compito è fatto bene.".

a ☐ Il professore ci disse che questo nostro compito è fatto bene.

b ☐ Il professore ci disse che quel nostro compito era fatto bene.

c ☐ Il professore ci disse che quel nostro compito è fatto bene.

d ☐ Il professore ci disse che quel nostro compito è stato fatto bene.

36. a ☐ Valla a vedere in questo spettacolo: è semplicemente divina!

b ☐ Va' a vederla in questo spettacolo: è semplice divina!

c ☐ Va' a vedere in questo spettacolo: è semplice divina!

d ☐ Valla a vederla questo spettacolo: è semplicemente divina!

37. a ☐ Accendiamo la luce, non vede bene qui.

b ☐ Accendiamo la luce, non ci si vede bene qui.

c ☐ Accendiamo la luce, non si ci vede bene qui.

d ☐ Accendiamo la luce, non si vedo bene qui.

38. a ☐ Quel bellissimo palazzo si distrusse durante l'ultima guerra.

b ☐ Quel bellissimo palazzo si è distrutto durante l'ultima guerra.

c ☐ Quel bellissimo palazzo fu distrutto durante l'ultima guerra.

d ☐ Quel bellissimo palazzo era distrutto durante l'ultima guerra.

39.
a ☐ Vorrebbero che gli diamo una mano.
b ☐ Vorrebbero che gli abbiamo dato una mano.
c ☐ Vorrebbero che gli dessimo una mano.
d ☐ Vorrebbero che gli daremmo una mano.

40.
a ☐ Stasera ci si ritrovano tutti al solito bar.
b ☐ Stasera ci ritrovano tutti al solito bar.
c ☐ Stasera si ritrova tutti al solito bar.
d ☐ Stasera ci si ritrova tutti al solito bar.

41.
a ☐ Che ne diresti se faremo una gita domenica?
b ☐ Che ne diresti se facessimo una gita domenica?
c ☐ Che ne dirai se facciamo una gita domenica?
d ☐ Che ne dirai se facessimo una gita domenica?

42.
a ☐ In treno si viaggia più comodamente che in macchina.
b ☐ In treno ci viaggia più comodamente che in macchina.
c ☐ Con treno si viaggia più comodamente che con macchina.
d ☐ In treno si viaggia più comodamente che con macchina.

43.
a ☐ Era incredibile che la cena sarebbe servita alle sette.
b ☐ Era incredibile che la cena fosse stata servita alle sette.
c ☐ Era incredibile che la cena sia stata servita alle sette.
d ☐ Era incredibile che la cena sia servita alle sette.

44.
a ☐ Questo è un prodotto sulla cui qualità non abbiamo dubbi.
b ☐ Questo è un prodotto su cui qualità non abbiamo dubbi.
c ☐ Questo è un prodotto su quale qualità non abbiamo dubbi.
d ☐ Questo è un prodotto sulla quale qualità non abbiamo dubbi.

45.
a ☐ Essendo camminati per un'intera giornata, erano stanchissimi.
b ☐ Avendo camminato per un'intera giornata, erano stanchissimi.
c ☐ Siccome avendo camminato per un'intera giornata, erano stanchissimi.
d ☐ Camminati per un'intera giornata, erano stanchissimi.

46.
a ☐ Le famiglie abitate sulla riva del fiume dovettero lasciare le loro case.
b ☐ Le famiglie abitante sulla riva del fiume dovettero lasciare le loro case.
c ☐ Le famiglie abitanti sulla riva del fiume dovettero lasciare le loro case.
d ☐ Le famiglie che abiteranno sulla riva del fiume dovettero lasciare le loro case.

47.
a ☐ Se tu fossi stato più attento, avrai trovato la soluzione del problema.
b ☐ Se tu fossi stato più attento, avresti trovato la soluzione del problema.
c ☐ Se tu fosti più attento, avresti trovato la soluzione del problema.
d ☐ Se tu foste più attento, troveresti la soluzione del problema.

48.
a ☐ Penso che tutti gli invitati arrivino prima delle otto.
b ☐ Penso che tutti invitati arrivino prima delle otto.
c ☐ Penso che i tutti invitati arrivino prima delle otto.
d ☐ Penso che invitati tutti arrivino prima delle otto.

49.
a ☐ Ho detto semplicemente ciò sapevo.
b ☐ Ho detto semplicemente quanto che sapevo.
c ☐ Ho detto semplicemente quanto sapevo.
d ☐ Ho detto semplicemente quello sapevo.

50.
a ☐ Spiegherò la situazione chi non l'ho spiegata ancora.
b ☐ Spiegherò la situazione a chi non l'ho spiegata ancora.
c ☐ Spiegherò la situazione a cui non l'ho spiegata ancora.
d ☐ Spiegherò la situazione al quale non l'ho spiegata ancora.

51. a ☐ Per convincermi mi prometteva mari e spiagge.

b ☐ Per convincermi mi prometteva mari e laghi.

c ☐ Per convincermi mi prometteva mari e monti.

d ☐ Per convincermi mi prometteva mari e fiumi.

52. a ☐ Era vestito di nuovo da capo ai calcagni.

b ☐ Era vestito di nuovo da capo ai ginocchi.

c ☐ Era vestito di nuovo da capo alle caviglie.

d ☐ Era vestito di nuovo da capo a piedi.

53. a ☐ Con i tempi che arrivano è sempre più difficile trovare un buon posto di lavoro.

b ☐ Con i tempi che corrono è sempre più difficile trovare un buon posto di lavoro.

c ☐ Con i tempi che passano è sempre più difficile trovare un buon posto di lavoro.

d ☐ Con i tempi che vanno è sempre più difficile trovare un buon posto di lavoro.

54. "È una famiglia priva di mezzi" significa che:

a ☐ la famiglia è senza macchina.

b ☐ la famiglia non usa mai i mezzi pubblici.

c ☐ la famiglia non ha soldi.

d ☐ la famiglia è molto ricca.

55. a ☐ In questi ultimi tempi i prezzi sono saliti fino al sole.

b ☐ In questi ultimi tempi i prezzi sono saliti fino alla luna.

c ☐ In questi ultimi tempi i prezzi sono saliti in cielo.

d ☐ In questi ultimi tempi i prezzi sono saliti alle stelle.

56. a ☐ A pranzo ho trascurato il primo e ho mangiato il secondo.

b ☐ A pranzo ho saltato il primo e ho mangiato il secondo.

c ☐ A pranzo ho passato il primo e ho mangiato il secondo.

d ☐ A pranzo ho rinunciato il primo e ho mangiato il secondo.

57. Come diresti che ti piacerebbe comprare quella macchina, ma non puoi perché costa un occhio della testa?

a ☐ Vorrei comprare quella macchina, ma prima devo ragionare.

b ☐ Ci vuole un buon occhio se uno vuole comprare una macchina.

c ☐ Non posso comprare la macchina perché costa troppo.

d ☐ Devo guardare bene una macchina costosa prima di comprarla.

58. "Solamente adesso me ne sto rendendo conto" significa:

a ☐ Adesso devo fare i conti e rendere tutti i soldi.

b ☐ Solo ora riesco a fare i conti.

c ☐ Solo adesso ho capito.

d ☐ Non riesco a capire ciò che è successo.

59. a ☐ Chi trova un amico trova un compagno.

b ☐ Chi trova un amico trova un ragazzo.

c ☐ Chi trova un amico trova un soldo.

d ☐ Chi trova un amico trova un tesoro.

60. Come diresti in altro modo che non hai fatto una bella figura con i tuoi nuovi colleghi?

a ☐ Ho suscitato una bella impressione ai colleghi.

b ☐ I colleghi hanno avuto una brutta impressione di me.

c ☐ I nuovi colleghi non sanno ancora che ho una figura elegante.

d ☐ Non hai fatto nulla di bello per i colleghi.

61. Fai un'affermazione e ti accorgi immediatamente che è errata, ti correggi:

a ☐ Quanto ho detto non è giusto.

b ☐ Ciò che ho detto non vi trova d'accordo, vero?

c ☐ Scusatemi, come non detto.

d ☐ Non tutti possono condividere tutte le opinioni altrui.

62. Ti chiedono l'ora. Sei senza orologio e rispondi:

a ☐ Mi dispiace, non so che ore siano.

b ☐ Come si permette di rivolgersi a me per una stupidaggine simile?

c ☐ Lo chieda ad un altro!

d ☐ Quando sono uscito erano le dieci.

63. Sei in fila alla posta. Hai una gran fretta, come chiedi a chi ti precede di lasciarti passare?

a ☐ Mi scusi, mi faccia accomodare prima di Lei.

b ☐ Mi scusi, fra dieci minuti mi parte il treno, Le sarei grato se mi permettesse di passare.

c ☐ Mi scusi, non mi piace fare la fila e vorrei fare l'operazione senza aspettare il mio turno.

d ☐ Mi scusi, ma qui c'è sempre molta gente, non ho tempo da perdere, così vorrei fare l'operazione prima di Lei.

64. Uno ti spiega qualcosa, ma tu non riesci a seguirlo. Come gli chiedi di spiegarsi meglio?

a ☐ Ma perché vuole spiegarmelo proprio adesso?

b ☐ Scusi, ma che c'entro io?

c ☐ Vuole essere più attento ai particolari?

d ☐ Le spiace essere più chiaro?

65. Ti raccontano una storia stranissima, esprimi la tua incredulità:

a ☐ Non si può sempre credere tutto ciò che gli altri raccontano.

b ☐ Non ci crederei nemmeno se la vedessi con i miei occhi.

c ☐ A volte si raccontano storie strane solo per stupire la gente.

d ☐ Storie simili le ho sentite tante volte.

66. Viaggi su un treno rapido con un biglietto normale. Il controllore ti dice:

a ☐ Per viaggiare su questo treno Lei avrebbe dovuto effettuare la prenotazione.

b ☐ C'è da pagare il supplemento rapido che ammonta a 20 euro.

c ☐ Poiché Lei non ha il supplemento rapido, dovrà scendere alla prossima fermata.

d ☐ Dovrei farLe pagare una multa, ma per questa volta chiuderò un occhio.

67. Chiedi al professore di sostenere l'esame non domani, ma oggi:

a ☐ Vorrei fare l'esame oggi perché domani ho altre cose da fare.

b ☐ Per gravi motivi personali, La pregherei di farmi sostenere l'esame oggi e non domani.

c ☐ Professore, La informo che ho deciso di sostenere oggi l'esame.

d ☐ Le chiedo perché Lei fissa la data d'esame senza interpellare gli studenti.

68. Per l'ennesima volta c'è la stessa vettura parcheggiata davanti alla porta del tuo garage. Lasci un messaggio sul tergicristallo:

a ☐ È corretto parcheggiare la macchina così come ha fatto Lei.

b ☐ Mi piace la gente che parcheggia la macchina davanti alla porta del mio garage.

c ☐ La prossima volta che metterà qui la macchina chiamerò i vigili e il carroattrezzi.

d ☐ Vorrei sapere se qualcuno parcheggia mai la macchina davanti al Suo garage.

69. Un'amica deve urgentemente finire un lavoro, ti telefona e dice che non riesce a sbloccare il suo computer. Che cosa le dici?

a ☐ Non ti invidio.

b ☐ Il computer è una brutta bestia da domare.

c ☐ Non sono in grado di aiutarti, ma se hai urgenza di usarlo, puoi venire da me e utilizzare il mio.

d ☐ Non credo che tutti siano in grado di usare correttamente un computer.

70. In un negozio c'erano tante belle cose a saldo. Maria non ha comprato niente; secondo te ha perso un'occasione e dici:

a ☐ Non sempre si trova ciò che si vorrebbe.

b ☐ È probabile che quegli articoli non fossero di suo gradimento.

c ☐ Peccato che lei non abbia preso neanche un fazzoletto in quel negozio.

d ☐ Non riesco a capire perché lei non compra mai niente in questa stagione.

PROVE GRADUATE DI PROFITTO ITALIANO LS e L2   VII A • VII B • VII C

Le tre prove di profitto, precedute dalla griglia 7 di controllo dell'autovalutazione e dalla griglia di autovalutazione, si basano su:

a) la lista descritta in *Guida all'uso delle parole* di T. De Mauro;

b) **approfondimenti grammaticali**, **sintattici**, **semantici a livello intermedio e avanzato**.

CONTROLLA COSA SAI FARE IN ITALIANO!

GRIGLIA 7 PER IL CONTROLLO DELL'AUTOVALUTAZIONE	S	N
ASCOLTARE		
Riesco a seguire un intervento o una conversazione di una certa lunghezza, anche quando non sono strutturati chiaramente e le connessioni non sono espresse esplicitamente.		
Riesco a capire una vasta gamma di modi di dire ed espressioni del linguaggio corrente e a valutare i cambiamenti di stile e tono.		
Riesco a capire singole informazioni che riguardano annunci pubblici fatti in cattive condizioni di trasmissione, per es.: in una stazione o durante una manifestazione sportiva.		
Riesco a capire un'informazione complessa e tecnica, per es.: istruzioni per l'uso o indicazioni precise per un prodotto o un servizio a me familiari.		
Riesco a capire una conferenza, un discorso o una relazione inerenti alla mia professione, alla mia formazione e ai miei studi, anche se presentano un linguaggio e un contenuto complessi.		
Riesco a capire un film senza grandi difficoltà, anche se presenta un linguaggio in gergo e molte espressioni idiomatiche.		
LEGGERE		
Riesco a capire testi impegnativi di una certa lunghezza.		
Posso leggere rapporti particolareggiati, analisi e commenti, in cui si discutono connessioni, opinioni e punti di vista.		
Riesco a ricavare informazioni, pensieri e opinioni da testi altamente specializzati nel mio settore di attività, per es., relazioni su ricerche.		
Riesco a capire istruzioni e indicazioni complesse e di una certa lunghezza, per es.: sull'uso di un nuovo apparecchio, anche se non sono in relazione con il mio ambito professionale o i miei interessi, a condizione che abbia abbastanza tempo per leggerle.		
Riesco a capire ogni tipo di corrispondenza ricorrendo occasionalmente a un dizionario.		
Riesco a leggere in maniera scorrevole testi letterari contemporanei.		
Riesco a riconoscere il sottofondo sociale, politico e storico di un'opera letteraria.		
Riesco a capire e so riassumere oralmente testi impegnativi di una certa lunghezza.		
Posso leggere rapporti particolareggiati, analisi e commenti, in cui si discutono connessioni, opinioni e punti di vista.		
PARTECIPARE A UNA CONVERSAZIONE		
Riesco a prendere parte anche a discussioni animate tra persone di lingua madre.		
Riesco a utilizzare la lingua con scioltezza, precisione ed efficacia su una gamma molto vasta di argomenti di ordine generale, professionale o scientifico.		
Riesco a usare la lingua con efficacia e disinvoltura in ambito sociale, anche per esprimere un sentimento, per fare un'allusione o per scherzare.		
Riesco a esprimere in una discussione i miei pensieri e le mie opinioni strutturandoli in modo convincente e a reagire in modo efficace a un ragionamento complesso di altre persone.		
PARLARE IN MODO COERENTE		
Riesco ad esporre fatti complessi in modo chiaro e dettagliato.		
Riesco ad esporre e a riferire oralmente qualcosa in modo particolareggiato collegandone i punti tematici, esponendo singoli aspetti in maniera particolare e concludendo il mio contributo in modo appropriato.		
Riesco a sostenere nel mio campo di specializzazione e nella mia sfera d'interessi una relazione ben articolata, allontanandomi se necessario dal testo già preparato e rispondendo spontaneamente alle domande degli ascoltatori.		
SCRIVERE		
Riesco a esprimermi in maniera chiara e ben leggibile su argomenti di vario genere di natura professionale o generale.		
Riesco a presentare, per es.: nell'ambito di un tema o di un rapporto di lavoro, un argomento complesso in maniera chiara e ben strutturata e metterne in risalto i punti essenziali.		
Riesco a esporre, in un commento a un argomento o a un avvenimento, diversi punti di vista, evidenziando i concetti principali e chiarendo le mie argomentazioni attraverso esempi circostanziati.		
Riesco a raccogliere informazioni provenienti da varie fonti e a riassumerle per scritto in forma coerente.		
Riesco a descrivere in maniera particolareggiata esperienze, sentimenti e avvenimenti in lettere personali.		
Riesco a scrivere lettere formalmente corrette, per es.:, per reclamare o prendere posizione a favore o contro qualcosa.		

INIZIA I TEST CHE SEGUONO SE TI RICONOSCI NELLA DESCRIZIONE EVIDENZIATA!

GRIGLIA PER L'AUTOVALUTAZIONE	A1	A2	B1
CAPIRE ASCOLTARE	Sono in grado di capire espressioni che mi sono familiari o anche frasi molto semplici, concernenti la mia persona, la famiglia, le cose concrete attorno a me, a condizione che si parli lentamente e in modo ben articolato.	Sono in grado di capire singole frasi e parole usate molto correntemente, purché si tratti di cose che sono importanti per me, ad esempio, informazioni semplici che riguardano la mia persona, la famiglia, le spese, il lavoro e l'ambiente circostante. Capisco inoltre l'essenziale di un messaggio o di un annuncio semplice, breve e chiaro.	Sono in grado di capire i punti essenziali di un discorso, a condizione che venga usata una lingua standard chiara che tratta argomenti familiari inerenti al lavoro, alla scuola, al tempo libero ecc. Sono in grado di trarre l'informazione principale da molti programmi radiofonici o televisivi su avvenimenti di attualità o su argomenti che riguardano la mia sfera professionale o di interessi, a condizione che si parli in modo articolato, relativamente lento e chiaro.
LEGGERE	Sono in grado di capire singoli nomi e parole che mi sono familiari nonché frasi molto semplici come, ad esempio, quelle sulle insegne, sui manifesti o sui cataloghi.	Sono in grado di leggere un testo molto breve e semplice, di individuare informazioni concrete e prevedibili in testi quotidiani semplici (per esempio, un annuncio, un prospetto, un menu o un orario); sono inoltre in grado di capire una lettera personale semplice e breve.	Sono in grado di capire un testo in cui si usa soprattutto un linguaggio molto corrente o relativo alla professione esercitata. Sono in grado di capire la descrizione di eventi, sentimenti e desideri in lettere personali.
PARLARE PARTECIPARE A UNA CONVERSAZIONE	Sono in grado di esprimermi in maniera semplice, a condizione che l'interlocutrice o l'interlocutore sia disposta/o a ripetere certe cose in modo più lento o riformularle diversamente aiutandomi così a formulare quello che vorrei dire. Sono in grado di rispondere a domande semplici e di porne in situazioni di necessità immediata o su argomenti che mi sono molto familiari.	Sono in grado di comunicare in una situazione semplice e abituale che consiste in uno scambio semplice e diretto di informazioni che riguardano temi e attività a me familiari. Sono in grado di gestire scambi sociali molto brevi anche se di solito non comprendo abbastanza per poter condurre personalmente la conversazione.	Sono in grado di districarmi nella maggior parte delle situazioni linguistiche riscontrate nei viaggi nella regione in cui si parla la lingua. Sono in grado di partecipare senza preparazione a una conversazione su argomenti che mi sono familiari o che riguardano i miei interessi oppure che concernono la vita di ogni giorno, come la famiglia, gli hobby, il lavoro, i viaggi o avvenimenti attuali.
PARLARE IN MODO COERENTE	Sono in grado di utilizzare espressioni e frasi semplici per descrivere le persone che conosco e dove abito.	Sono in grado di descrivere – usando una serie di frasi e con mezzi linguistici semplici – la mia famiglia, le altre persone, la mia formazione, il mio lavoro attuale o l'ultima attività svolta.	Sono in grado di parlare usando frasi semplici e coerenti per descrivere esperienze, eventi, i miei sogni, speranze o obiettivi. Sono in grado di spiegare e di motivare brevemente le mie opinioni e i miei progetti. Sono in grado di raccontare una storia oppure la trama di un libro o di un film e di descrivere le mie reazioni.
SCRIVERE SCRIVERE	Sono in grado di scrivere una cartolina semplice e breve con, p.es.: i saluti dalle vacanze. Sono inoltre in grado di compilare un modulo come, per esempio, quello degli alberghi con le mie generalità (nome, indirizzo, nazionalità ecc.).	Sono in grado di scrivere un appunto o una comunicazione breve e semplice nonché una lettera personale molto semplice, ad esempio, per porgere i miei ringraziamenti.	Sono in grado di scrivere un testo semplice e coerente su argomenti che mi sono familiari o che mi interessano personalmente nonché lettere personali riferendo esperienze e descrivendo impressioni.

B2	C1	C2	
Sono in grado di capire interventi di una certa lunghezza e conferenze seguendo anche un'argomentazione complessa, a condizione che gli argomenti mi siano abbastanza familiari. Sono in grado di capire alla televisione la maggior parte dei notiziari e dei servizi giornalistici d'attualità. Sono in grado di capire la maggior parte dei film, a condizione che si parli un linguaggio standard.	Sono in grado di seguire interventi di una certa lunghezza, anche se non sono strutturati chiaramente e anche se le relazioni contestuali non sono esposte esplicitamente. Sono in grado di capire senza grande fatica un programma televisivo o un film.	Non ho nessuna difficoltà a capire la lingua parlata sia dal vivo che dai mezzi d'informazione, anche quando si parla velocemente. Ho solo bisogno di un po' di tempo per abituarmi a un accento particolare.	
Sono in grado di leggere e di capire un articolo o un rapporto su questioni d'attualità in cui l'autrice o l'autore sostiene particolari atteggiamenti o punti di vista. Sono in grado di capire un testo letterario contemporaneo in prosa.	Sono in grado di capire un testo specialistico lungo e complesso nonché uno letterario e di percepirne le differenze stilistiche. Sono in grado di capire un articolo specialistico e istruzioni tecniche di una certa lunghezza, anche se non rientrano nel campo della mia specializzazione.	Sono in grado di capire senza sforzo praticamente tutti i tipi di testi scritti, anche se sono astratti o complessi dal punto di vista del linguaggio e del contenuto, per esempio, un manuale, un articolo specialistico o un'opera letteraria.	
Sono in grado di comunicare con un grado di scorrevolezza e spontaneità tali da permettere abbastanza facilmente una conversazione normale con un'interlocutrice o un interlocutore di lingua madre. Sono in grado di partecipare attivamente a una discussione in situazioni a me familiari e di esporre e motivare le mie opinioni.	Sono in grado di esprimermi in modo scorrevole e spontaneo, senza dare troppo spesso la chiara impressione di dover cercare le parole. Sono in grado di usare la lingua con efficacia e flessibilità nella vita sociale e professionale. Sono in grado di esprimere i miei pensieri e le mie opinioni con precisione e di associare con abilità i miei interventi con quelli di altri interlocutori.	Sono in grado di partecipare senza sforzo a qualsiasi conversazione o discussione e ho familiarità con le espressioni idiomatiche e il linguaggio corrente. Sono in grado di esprimermi correntemente e di evidenziare con precisione sfumature più sottili di senso. Quando incontro difficoltà di espressione sono in grado di riprendere e riformularla in maniera così abile che chi mi ascolta non se ne accorge.	
Sono in grado di fornire descrizioni chiare e particolareggiate su molti temi inerenti alla sfera dei miei interessi e sono inoltre in grado di commentare un punto di vista su una questione d'attualità, indicando i vantaggi e gli inconvenienti delle diverse opzioni.	Sono in grado di descrivere in maniera chiara e circostanziata fatti complessi, collegandone i punti tematici, esponendo aspetti particolari e concludendo il mio contributo in modo adeguato.	Sono in grado di esporre fatti in modo chiaro, scorrevole e stilisticamente adatto alla situazione. Sono in grado di strutturare la mia presentazione in modo logico, facilitando così a chi ascolta il compito di riconoscere e di fissare nella mente i punti importanti.	
Sono in grado di scrivere testi chiari e dettagliati su numerosi argomenti inerenti alla sfera dei miei interessi e di riportare informazioni in un testo articolato o in un rapporto o di esporre gli argomenti pro e contro un determinato punto di vista. Sono in grado di scrivere lettere in cui rendo esplicito il significato personale di avvenimenti ed esperienze.	Sono in grado di esprimermi per iscritto in maniera chiara e ben strutturata nonché di esporre in modo circostanziato le mie opinioni. Sono in grado di trattare un tema complesso in una lettera, in un testo articolato o in un rapporto e di sottolineare gli aspetti che considero essenziali. Nei miei testi scritti sono in grado di scegliere lo stile che più si addice a chi legge.	Sono in grado di scrivere testi chiari, scorrevoli e stilisticamente adatti ad ogni circostanza. Sono in grado di redigere una lettera esigente, un rapporto lungo o un articolo su questioni complesse e strutturarli con chiarezza per permettere a chi legge di capire e ricordare i punti salienti. Sono in grado di riassumere e criticare per iscritto testi specialistici e letterari.	

VII A

GIORNO	MESE	ANNO

1. a ☐ Questa volta visiteremo la bella Napoli.
   b ☐ Questa volta visiteremo la Napoli bella.
   c ☐ Questa volta visiteremo il bel Napoli.
   d ☐ Questa volta visiteremo il Napoli bello.

2. a ☐ Hai comprato tre paia di grigi calzini?
   b ☐ Hai comprato tre paia di calzini grigi?
   c ☐ Hai comprato tre paia grige di calzini?
   d ☐ Hai comprato tre paia grigi di calzini?

3. a ☐ Sotto i portici del corso ci sono i negozi più eleganti della città.
   b ☐ Sotto portici del corso ci sono i negozi più eleganti della città.
   c ☐ Sotto i portici del corso ci sono i negozi più eleganti della città.
   d ☐ Sotto i portici del corso ci sono i negozii più eleganti della città.

4. a ☐ Alla sua sorella abbiamo regalato dei cioccolatini squisiti.
   b ☐ A sua sorella abbiamo regalato i cioccolatini squisiti.
   c ☐ A sua sorella abbiamo regalato dei cioccolatini squisiti.
   d ☐ Alla sua sorella abbiamo regalato gli squisiti cioccolatini.

5. a ☐ Il bambino ha la febbre: il suo labbro è arrossato.
   b ☐ Il bambino ha la febbre: la sua labbra è arrossata.
   c ☐ Il bambino ha la febbre: le sue labbra sono arrossate.
   d ☐ Il bambino ha la febbre: i suoi labbri sono arrossati.

6. a ☐ Abbiamo visitato alcuni capoluogo regionali.
   b ☐ Abbiamo visitato alcuni capoluoghi regionali.
   c ☐ Abbiamo visitato alcuni capiluogo regionali.
   d ☐ Abbiamo visitato alcuni capiluoghi regionali.

7. a ☐ Un temporale improvviso ha costretto i bagnanti abbandonare la spiaggia.
   b ☐ Un temporale improvviso ha costretto i bagnanti di abbandonare la spiaggia.
   c ☐ Un temporale improvviso ha costretto i bagnanti ad abbandonare la spiaggia.
   d ☐ Un temporale improvviso ha costretto i bagnanti per abbandonare la spiaggia.

8. a ☐ Gradiremmo un buon piatto di spaghetti.
   b ☐ Gradiremmo un buon piatto degli spaghetti.
   c ☐ Gradiremmo un buono piatto con spaghetti.
   d ☐ Gradiremmo un piatto buono con gli spaghetti.

9. a ☐ Abbiamo osservato attentamente ciascun'animale dello zoo.
   b ☐ Abbiamo osservato attentamente ciascuno animali dello zoo.
   c ☐ Abbiamo osservato attentamente ciascuna animale dello zoo.
   d ☐ Abbiamo osservato attentamente ciascun animale dello zoo.

10. a ☐ Una più piccola contrarietà è sufficiente a innervosirlo.
    b ☐ Una contrarietà la più piccola è sufficiente a innervosirlo.
    c ☐ Una minima contrarietà è sufficiente a innervosirlo.
    d ☐ Una contrarietà più piccola è sufficiente a innervosirlo.

11. a ☐ Mi è successa una cosa strana: ora la racconto così mi dirai cosa ne pensi.
    b ☐ Mi è successa una cosa strana: ora te la racconto così mi dirai cosa ne pensi.
    c ☐ Mi è successa una cosa strana: ora ti racconto così mi dirai cosa ci pensi.
    d ☐ Mi è successa una cosa strana: ora te la racconto così mi dirai cosa ci pensi.

12. a ☐ Oggi non vado di fare ginnastica: ho un forte dolore ai piedi.
    b ☐ Oggi non mi vado di fare ginnastica: ho un forte dolore ai piedi.
    c ☐ Oggi me non va di fare ginnastica: ho un forte dolore ai piedi.
    d ☐ Oggi non mi va di fare ginnastica: ho un forte dolore ai piedi.

13. a ☐ Perché non vuoi comprarti un cane? Farebbe molta compagnia.

   b ☐ Perché non vuoi comprarti un cane? Ti farebbe molta compagnia.

   c ☐ Perché non vuoi comprare un cane? Ti avrebbe fatto molta compagnia.

   d ☐ Perché non ti vuoi comprare un cane? Farebbe a te molta compagnia.

14. a ☐ Amico mio, dì pure quello che pensi.

   b ☐ Amico mio, di pure quello che pensi.

   c ☐ Amico mio, di' pure quello che pensi.

   d ☐ Amico mio, dici pure quello che pensi.

15. a ☐ È difficile che quei ragazzi valgano più di voi per pallavolo.

   b ☐ È difficile che quei ragazzi valano più di voi a pallavolo.

   c ☐ È difficile che quei ragazzi valgano più di voi a pallavolo.

   d ☐ È difficile che quei ragazzi valono più di voi a pallavolo.

16. a ☐ Ci si ammala facilmente in un clima come quello.

   b ☐ Si ammala facilmente in una clima come quello.

   c ☐ Ci si ammala facilmente con una clima come quello.

   d ☐ Uno ammala facilmente in un clima come quello.

17. a ☐ Che rabbia! Mi sono versato caffè sulla gonna.

   b ☐ Che rabbia! Ho versato caffè sulla gonna.

   c ☐ Che rabbia! Mi sono versata il caffè sulla gonna.

   d ☐ Che rabbia! Versavo il caffè sulla gonna.

18. a ☐ Non ho nessun voglia di ascoltare: ne parleremo tra qualche giorno.

   b ☐ Non ho nessuna voglia di ascoltare: ne parleremo tra qualche giorni.

   c ☐ Non ho nessuna voglia di ascoltarti: ne parleremo tra qualche giorno.

   d ☐ Ho nessuna voglia di ascoltarti: ne parleremo tra alcuni giorni.

19. a ☐ Non troviamo più il quaderno che abbiamo scritto gli appunti.

   b ☐ Non troviamo più il quaderno in quale abbiamo scritto gli appunti.

   c ☐ Non troviamo più il quaderno in che abbiamo scritto gli appunti.

   d ☐ Non troviamo più il quaderno in cui abbiamo scritto gli appunti.

20. a ☐ Vorrei un quarto di vino e due bottiglie di acqua minerale.

   b ☐ Vorrei un quattro di vino e due bottiglie di acqua minerale.

   c ☐ Vorrei un quarto del vino e due bottiglie dell'acqua minerale.

   d ☐ Vorrei un quattro di vino e due bottiglie da acqua minerale.

21. a ☐ Mi sono pentito non aver dato quell'esame.

   b ☐ Mi sono pentito a non aver dato quell'esame.

   c ☐ Mi sono pentito di non aver dato quell'esame.

   d ☐ Mi sono pentito che non aver dato quell'esame.

22. a ☐ Ci è andato malgrado non ne aveva nessuna voglia.

   b ☐ Ci è andato anche se non ne aveva nessuna voglia.

   c ☐ Ci è andato così non ne aveva nessuna voglia.

   d ☐ Ci è andato dato che non ne aveva nessuna voglia.

23. a ☐ Potrete scrivervi all'università solo finito il liceo.

   b ☐ Potrete scrivervi all'università solo quando finito il liceo.

   c ☐ Potrete iscrivervi all'università solo quando avrete finito il liceo.

   d ☐ Potrete iscrivervi all'università solo essendo finito il liceo.

24. a ☐ Il nuovo direttore è contrario del nostro progetto.

   b ☐ Il nuovo direttore è contrario al nostro progetto.

   c ☐ Il nuovo direttore è contrario con il nostro progetto.

   d ☐ Il nuovo direttore è contrario per il nostro progetto.

25. a ☐ Hanno camminato in mezzo agli alberi.

b ☐ Hanno camminato in mezzo degli alberi.

c ☐ Hanno camminato in mezzo negli alberi.

d ☐ Hanno camminato in mezzo con gli alberi.

26. a ☐ Ieri i ragazzi si sono preparati benissimo per l'interrogazione della storia.

b ☐ Ieri i ragazzi si sono preparati benissimo per l'interrogazione di storia.

c ☐ Ieri i ragazzi si sono preparati benissimo all'interrogazione nella storia.

d ☐ Ieri i ragazzi si sono preparati benissimo per l'interrogazione nella storia.

27. a ☐ Il piccolo Luca piangeva perché il suo palloncino è volato via.

b ☐ Il piccolo Luca piangeva perché il suo palloncino aveva volato via.

c ☐ Il piccolo Luca piangeva perché il suo palloncino sarebbe volato via.

d ☐ Il piccolo Luca piangeva perché il suo palloncino era volato via.

28. a ☐ In quella circostanza tu dasti un grande aiuto a tutti.

b ☐ In quella circostanza tu desti un grande aiuto a tutti.

c ☐ In quella circostanza tu desti un grande aiuto tutti.

d ☐ In quella circostanza tu desti un grande aiuto per tutti.

29. a ☐ Sebbene faccia finta di niente, Franco sa tutto.

b ☐ Sebbene faccia niente finta, Franco sa tutto.

c ☐ Sebbene fa niente finta, Franco sa tutto.

d ☐ Sebbene faccia finta niente, Franco sa tutto.

30. a ☐ La cucina italiana si è apprezzata dai buongustai di tutto il mondo.

b ☐ La cucina italiana si apprezza dai buongustai di tutto il mondo.

c ☐ La cucina italiana è apprezzata dai buongustai del tutto il mondo.

d ☐ La cucina italiana è apprezzata dai buongustai di tutto il mondo.

31. a ☐ Credo che il problema appara più complesso di quanto non sia in realtà.

b ☐ Credo che il problema appaia più complesso di quanto non sia in realtà.

c ☐ Credo che il problema appare più complesso di quanto non sia in realtà.

d ☐ Credo che il problema apparisce più complesso di quanto non sia in realtà.

32. a ☐ Sono stato per andare a dormire, quando sono arrivati alcuni amici.

b ☐ Ero per andare a dormire, quando sono arrivati alcuni amici.

c ☐ Stavo per andare a dormire, quando sono arrivati alcuni amici.

d ☐ Ero stato per andare a dormire, quando sono arrivati alcuni amici.

33. a ☐ Ha preso la bici di suo fratello senza che lui se ne accorgesse.

b ☐ Ha preso la bici di suo fratello senza che accorgersene.

c ☐ Ha preso la bici di suo fratello senza che lui se ne accorga.

d ☐ Ha preso la bici di suo fratello senza che lui se ne sia accorto.

34. a ☐ Perché essendosi ferito in un incidente stradale, dovrà restare in ospedale per qualche tempo.

b ☐ Essendosi ferito in un incidente stradale, dovrà restare in ospedale per qualche tempo.

c ☐ Pur essendosi ferito in un incidente stradale, dovrà restare in ospedale per qualche tempo.

d ☐ Poiché essendosi ferito in un incidente stradale, dovrà restare in ospedale per qualche tempo.

35. a ☐ Sono stato guardando il telegiornale, quando qualcuno suonò alla porta.

b ☐ Stavo guardando il telegiornale, quando qualcuno suonava alla porta.

c ☐ Guardavo il telegiornale, quando qualcuno stava suonando alla porta.

d ☐ Stavo guardando il telegiornale, quando qualcuno suonò alla porta.

36. a ☐ Mi è venuta la curiosità conoscere quell'uomo.

b ☐ Mi è venuta la curiosità di conoscere quell'uomo.

c ☐ Mi è venuta la curiosità per conoscere quell'uomo.

d ☐ Mi è venuta la curiosità da conoscere quell'uomo.

37. a ☐ Riprendiamo le ricerche da cui abbiamo interrotto.

b ☐ Riprendiamo le ricerche dalle quali abbiamo interrotte.

c ☐ Riprendiamo le ricerche che le abbiamo interrotte.

d ☐ Riprendiamo le ricerche da dove le abbiamo interrotte.

38. a ☐ Dottore, ci perdoni, non pensavamo di offenderlo.

b ☐ Dottore, ci perdona, non pensavamo di offendervi.

c ☐ Dottore, ci perdoni, non pensavamo di offenderLa.

d ☐ Dottore, perdonaci, non pensavamo di offenderla.

39. a ☐ La nuova legge sanitaria è votata stamattina dal parlamento.

b ☐ La nuova legge sanitaria fu votata stamattina dal parlamento.

c ☐ La nuova legge sanitaria si è votata stamattina dal parlamento.

d ☐ La nuova legge sanitaria è stata votata stamattina dal parlamento.

40. a ☐ Domani andremo ad una conferenza riguardata la tutela dell'ambiente.

b ☐ Domani andremo ad una conferenza riguardante la tutela dell'ambiente.

c ☐ Domani andremo ad una conferenza che riguardava la tutela dell'ambiente.

d ☐ Domani andremo ad una conferenza che ha riguardato la tutela dell'ambiente.

41. a ☐ Se fosse venuto un acquazzone, dove si sarebbero potuti riparare?

b ☐ Se venisse un acquazzone, dove si sarebbero potuti riparare?

c ☐ Se fosse venuto un acquazzone, dove sarebbero potuti riparare?

d ☐ Se fosse venuto un acquazzone, dove potrebbero ripararsi?

42. a ☐ Sei sicuro che ti aiutassero se tu gli chiedessi?

b ☐ Sei sicuro che ti aiuterebbero se tu glielo chiedessi?

c ☐ Sei sicuro che ti aiuteranno se tu glielo chieda?

d ☐ Sei sicuro che ti avranno aiutato se tu glielo chiedessi?

43. a ☐ Il vigile bloccò il traffico affinché stava sopraggiungendo un'autoambulanza.

b ☐ Il vigile bloccò il traffico malgrado stesse sopraggiungendo un'autoambulanza.

c ☐ Il vigile bloccò il traffico sebbene stesse sopraggiungendo un'autoambulanza.

d ☐ Il vigile bloccò il traffico poiché stava sopraggiungendo un'autoambulanza.

44. a ☐ Non fu facile di convincerlo a farsi visitare con uno specialista.

b ☐ Non fu facile convincerlo di farsi visitare da un specialista.

c ☐ Non fu facile convincerlo a farsi visitare da uno specialista.

d ☐ Non fu facile a convincerlo di farsi visitare ad uno specialista.

45. Il ragazzo disse: "Ho cercato di smettere di fumare, ma non ci sono riuscito".

a ☐ Il ragazzo disse che aveva cercato di smettere di fumare, ma non ci era riuscito.

b ☐ Il ragazzo disse di aver cercato di smettere di fumare, ma non ci riuscì.

c ☐ Il ragazzo disse di aver cercato di smettere di fumare, ma non ci è riuscito.

d ☐ Il ragazzo disse che aveva cercato di smettere di fumare, ma non ci riusciva.

46. La mamma ci raccomandò di finire i compiti prima che lei tornasse.

a ☐ La mamma ci raccomandò: "Finire i compiti prima che io torni!".

b ☐ La mamma ci raccomandò: "Finite i compiti prima che io torno!".

c ☐ La mamma ci raccomandò: "Finisci i compiti prima che tornassi!".

d ☐ La mamma ci raccomandò: "Finite i compiti prima che io torni!".

47. a ☐ Ieri la gara era sospesa dagli organizzatori a causa del maltempo.

b ☐ Ieri la gara è stata sospesa dagli organizzatori a causa del maltempo.

c ☐ Ieri la gara è sospesa dagli organizzatori a causa del maltempo.

d ☐ Ieri la gara è andata sospesa dagli organizzatori a causa del maltempo.

48. a ☐ Impegnando maggiormente, ora non avresti tanti problemi.

b ☐ Impegnandoti maggiormente, ora non avresti tanti problemi.

c ☐ Poiché ti impegni maggiormente, ora non avresti tanti problemi.

d ☐ Se tu ti impegnerai maggiormente, ora non avresti tanti problemi.

49. a ☐ Siamo stati convinti dai nostri amici a non abbandonare gli studi.

b ☐ Siamo venuti convinti dai nostri amici a non abbandonare gli studi.

c ☐ I nostri amici ci hanno convinti di non abbandonare studi.

d ☐ Siamo convinti dai nostri amici a non abbandonare studi.

50. a ☐ Il premio si può vincere da chiunque.

b ☐ Da chiunque può vincere il premio.

c ☐ Il premio si può essere vinto da chiunque.

d ☐ Il premio può essere vinto da chiunque.

51. a ☐ Rimase di stucco, saputa la notizia non preferì parola.

b ☐ Rimase di sale, saputa la notizia non conferì parola.

c ☐ Rimase basito, saputa la notizia non proferì parola.

d ☐ Rimase impietrito, saputa la notizia non riferì parola.

52. a ☐ Per alto tradimento, il capitano è stato conferito al tribunale militare.

b ☐ Per insubordinazione, il capitano è stato deferito al tribunale militare.

c ☐ Per slealtà, il capitano è stato preferito al tribunale militare.

d ☐ Per vilipendio, il capitano è stato riferito al tribunale militare.

53. Non firmerò questa petizione perché non la ritengo giusta.

PETIZIONE significa:

a ☐ preghiera

b ☐ richiesta

c ☐ raccomandazione

d ☐ segnalazione

54. In simili circostanze, nessuno saprebbe come comportarsi, sbaglierebbe comunque.

CIRCOSTANZA significa:

a ☐ ricorrenza

b ☐ anniversario

c ☐ occasione

d ☐ avvenimento

55. Ha usufruito di un permesso speciale per importanti motivi familiari.

USUFRUIRE significa:

a ☐ mangiare dei frutti di mare

b ☐ godere

c ☐ fare uso

d ☐ fruttificare

56. Le sue parole poco chiare e i suoi comportamenti strani mi hanno lasciato perplesso.

PERPLESSO significa:

a ☐ silenzioso

b ☐ preoccupato

c ☐ dubbioso

b ☐ meravigliato

57. Con l'arrivo dell'euro, in Europa i prezzi hanno subito un'autentica impennata.

IMPENNATA significa:

a ☐ brusco rialzo

b ☐ alta addizione

c ☐ forte aggiunta

d ☐ ingiustificata moltiplicazione

58. I drastici provvedimenti del governo in materia fiscale hanno suscitato proteste e scioperi.

PROVVEDIMENTO significa:

a ☐ legge

b ☐ esame

c ☐ disposizione

d ☐ discussione

59. Non si devono concedere agevolazioni a pioggia, cioè in maniera indiscriminata.

AGEVOLAZIONE significa:

a ☐ cosa agevole

b ☐ azione facile

c ☐ facilitazione

d ☐ appoggio

60. Molti cittadini hanno beneficiato del recente condono fiscale ed edilizio.

BENEFICIARE significa:

a ☐ ricevere del bene

b ☐ fare del bene

c ☐ trarre vantaggio

d ☐ comportarsi bene

61. Quando si dice che uno è "giallo come un limone"?

a ☐ quando è molto stanco.

b ☐ quando ha fame.

c ☐ quando si è messo un vestito giallo.

d ☐ quando è malato.

62. a ☐ Il panettone è il dolce tradizionale di Pasqua.

b ☐ Il panettone è il dolce tradizionale di Capodanno.

c ☐ Il panettone è il dolce tradizionale di Ferragosto.

d ☐ Il panettone è il dolce tradizionale di Natale.

63. Avere "denaro liquido" significa:

a ☐ avere molti soldi.

b ☐ avere soldi in contanti.

c ☐ avere soldi da cambiare.

d ☐ avere spiccioli.

64. a ☐ È un uomo senza cuore, cioè cattivo.

b ☐ È un uomo senza cuore, cioè morto.

c ☐ È un uomo senza cuore, cioè malato.

d ☐ È un uomo senza cuore, cioè ignorante.

65. a ☐ Non basta un solo stipendio per conservare una famiglia.

b ☐ Non basta un solo stipendio per tenere una famiglia.

c ☐ Non basta un solo stipendio per mantenere una famiglia.

d ☐ Non basta un solo stipendio per difendere una famiglia.

66. a ☐ Un vino che non è dolce è aspro.

b ☐ Un vino che non è dolce è amaro.

c ☐ Un vino che non è dolce è secco.

d ☐ Un vino che non è dolce è salato.

67. a ☐ È una bravissima ragazza, ma è brutta da ridere.

b ☐ È una bravissima ragazza, ma è brutta da morire.

c ☐ È una bravissima ragazza, ma è brutta da piangere.

d ☐ È una bravissima ragazza, ma è brutta da soffrire.

68. a ☐ Perché ti comporti così? Sei l'oca nera della classe.

b ☐ Perché ti comporti così? Sei la gatta nera della classe.

c ☐ Perché ti comporti così? Sei l'anatra nera della classe.

d ☐ Perché ti comporti così? Sei la pecora nera della classe.

69. a ☐ Non è prudente vendere la macchina a uno che guida come un pazzo.

b ☐ Non è prudente permettere la macchina a uno che guida come un pazzo.

c ☐ Non è prudente prestare la macchina a uno che guida come un pazzo.

d ☐ Non è prudente prendere in prestito la macchina da uno che guida come un pazzo.

70. a ☐ Per le feste vi manderemo un ettolitro di vino.

b ☐ Per le feste vi manderemo un barile di vino.

c ☐ Per le feste vi manderemo una botte di vino.

d ☐ Per le feste vi manderemo una cassetta di vino.

VII B

1. a ☐ Mi è venuta un'idea che m'è sembrata geniale e l'ho subito attuata.

    b ☐ Mi è venuta un'idea che mi sembrò geniale e l'ho subito attuata.

    c ☐ Mi è venuta un'idea ché mi è sembrata geniale e la attuai subito.

    d ☐ Mi è venuta un'idea ché mi è sembrata geniale e subito la attuavo.

2. a ☐ Abbiamo scattato foto bellissimi riproducenti le cime delle Alpi.

    b ☐ Abbiamo scattato delle foto bellissime riproducenti le cime delle Alpi.

    c ☐ Abbiamo scattato foto bellissime riproducenti le cime degli Alpi.

    d ☐ Abbiamo scattato dei foto bellissimi riproducenti le cime degli Alpi.

3. a ☐ Mi hanno accolto a braccio aperto.

    b ☐ Mi hanno accolto a bracci aperti.

    c ☐ Mi hanno accolto a braccia aperte.

    d ☐ Mi hanno accolto a bracce aperte.

4. a ☐ Questi viaggi sono assoluto sicuri.

    b ☐ Questi viaggi sono assoluti sicuri.

    c ☐ Questi viaggi sono assolutamente sicuri.

    d ☐ Questi viaggi sono assolutamente sicuro.

5. a ☐ Non preparare niente; mangeremo qualche biscotto.

    b ☐ Non preparare niente; mangeremo qualche biscotti.

    c ☐ Non preparare niente; mangeremo alcun biscotto.

    d ☐ Non preparare niente; mangeremo alcuno biscotto.

6. a ☐ Lascia stare quel cane! Stalle lontano, è un animale pericoloso.

    b ☐ Lasci stare quel cane! Stagli lontano, è un animale pericoloso.

    c ☐ Lascia stare quel cane! Stacci lontano, è un animale pericoloso.

    d ☐ Lascia stare quel cane! Stanne lontano, è un animale pericoloso.

7. a ☐ Quegli scherzi non piaquero a nessuno.

    b ☐ Quegli scherzi non piaquero nessuno.

    c ☐ Quei scherzi non piacquero a nessuno.

    d ☐ Quegli scherzi non piacquero a nessuno.

8. a ☐ Marco è un bambino molto affezionato a suo padre, ma molto di più al suo vecchio nonno.

    b ☐ Marco è un bambino molto affezionato al suo padre, ma molto di più al suo vecchio nonno.

    c ☐ Marco è un bambino molto affezionato al padre, ma molto di più a suo vecchio nonno.

    d ☐ Marco è un bambino molto affezionato a suo padre, ma molto di più a suo vecchio nonno.

9. a ☐ Questo lavoro va eseguito con la grandissima precisione possibile.

    b ☐ Questo lavoro va eseguito con la massima precisione possibile.

    c ☐ Questo lavoro va eseguito con la grande precisione possibile.

    d ☐ Questo lavoro va eseguito con massima precisione possibile.

10. a ☐ All'esame ciascuno ragazzo ha presentato il suo lavoro.

    b ☐ All'esame ciascuni ragazzi hanno presentato il loro lavoro.

    c ☐ All'esame ciascun ragazzo ha presentato il proprio lavoro.

    d ☐ All'esame ciascuno ragazzo ha presentato il proprio lavoro.

11. a ☐ Molti hanno disapprovato questa decisione, ognuno per motivi diversi.

b ☐ Molti hanno disapprovato questa decisione, qualunque per motivi diversi.

c ☐ Molti hanno disapprovato questa decisione, chiunque per motivi diversi.

d ☐ Molti hanno disapprovato questo decisione, nessuno per motivi diversi.

12. a ☐ Per recare in Italia per motivi di studio ti è necessario il passaporto?

b ☐ Per recarsi in Italia per motivi di studio ti è necessaria la carta d'identità?

c ☐ Per recarti in Italia per motivi di studio ti è necessario il visto del consolato italiano?

d ☐ Per recare in Italia per motivi di studio ti è necessaria la carta di credito?

13. a ☐ Ho qualche domanda a fare e spero che qualche esperto sappia rispondere.

b ☐ Ho qualche domanda da rivolgere e spero che qualche esperto sappia rispondere.

c ☐ Ho qualche domande da rivolgere e spero che alcuni esperti sappiano rispondere.

d ☐ Ho qualche domanda da rivolgere e spero che qualche esperti sappiano rispondere.

14. a ☐ Vorrei imparare a sciare, ma non ho coraggio.

b ☐ Vorrei imparare sciare, ma non ho il coraggio.

c ☐ Vorrei imparare a sciare, ma non ne ho il coraggio.

d ☐ Vorrei imparare a sciare, ma non ci ho il coraggio.

15. a ☐ Un bambino che non ubbidisce è sottomesso.

b ☐ Un bambino che non ubbidisce è disciplinato.

c ☐ Un bambino che non ubbidisce è disubbidiente.

d ☐ Un bambino che non ubbidisce è docile.

16. a ☐ Questi prodotti sono stati realizzati fra nuove tecniche.

b ☐ Questi prodotti sono stati realizzati rispetto a nuove tecniche.

c ☐ Questi prodotti sono stati realizzati su nuove tecniche.

d ☐ Questi prodotti sono stati realizzati mediante nuove tecniche.

17. a ☐ Al momento di prenotare mi accorsi di non avere i soldi da dare come anticipo.

b ☐ In momento di prenotare mi accorsi di non avere i soldi da dare come anticipo.

c ☐ Nel momento da prenotare mi accorsi di non avere i soldi da dare come anticipo.

d ☐ Al momento per prenotare mi accorsi di non avere i soldi a dare come anticipo.

18. a ☐ Uni giocavano in giardino, altri si divertivano in piscina.

b ☐ Gli uni giocavano in giardino, gli altri si divertivano in piscina.

c ☐ Uni giocavano in giardino, gli altri si divertivano in piscina.

d ☐ Gli uni giocavano in giardino, altri si divertivano in piscina.

19. a ☐ Gli amici ai cui ho esposto i miei problemi, mi aiuteranno.

b ☐ Gli amici a quali ho esposto i miei problemi, mi aiuteranno.

c ☐ Gli amici a chi ho esposto i miei problemi, mi aiuteranno.

d ☐ Gli amici a cui ho esposto i miei problemi, mi aiuteranno.

20. a ☐ Se non vuoi che io moia di fame, preparami un panino.

b ☐ Se non vuoi che io muoia di fame, preparami un panino.

c ☐ Se non vuoi che io morisca di fame, preparami un panino.

d ☐ Se non vuoi che io muoio di fame, preparami un panino.

21. a ☐ Quando si studia, non ci si deve distrarre.

b ☐ Quando si studia, non si deve distrarre.

c ☐ Quando si studia, non ci si deve distrarsi.

d ☐ Quando si studia, non deve distrarsi.

22. a ☐ Supponevo che avevano avvisato anche te.

b ☐ Supponevo che ti abbiano avvisato anche tu.

c ☐ Supponevo che avessero avvisato anche te.

d ☐ Supponevo che ti avranno avvisato anche te.

23. a ☐ Partiremo dopo che avremo sistemato i nostri affari.

b ☐ Partiremo dopo che sistemeremo i nostri affari.

c ☐ Partiremo dopo che avremmo sistemato i nostri affari.

d ☐ Partiremmo dopo che avremo sistemati i nostri affari.

24. a ☐ Mi ho dimenticato di spegnere la luce prima di uscire.

b ☐ Mi sono dimenticato di spegnere la luce prima di uscire.

c ☐ Mi sono dimenticato di spegnere la luce prima che uscire.

d ☐ Ho dimenticato spegnere la luce prima di uscire.

25. a ☐ Non posso venire da voi perché sono per partire, ci vedremo al mio ritorno.

b ☐ Non posso venire da voi perché vado per partire, ci vedremo al mio ritorno.

c ☐ Non posso venire da voi perché sto per partire, ci vedremo al mio ritorno.

d ☐ Non posso venire da voi perché voglio per partire, ci vedremo al mio ritorno.

26. a ☐ Le tue sorelle sono stanche e non gli va di uscire.

b ☐ Tue sorelle sono stanche e non gli va di uscire.

c ☐ Le tue sorelle sono stanche e non le va di uscire.

d ☐ Tue sorelle sono stanche e non vanno di uscire.

27. a ☐ Non firmare quel contratto, anche se uno te lo chieda.

b ☐ Non firmare quel contratto, benché un altro te lo chieda.

c ☐ Non firmare quel contratto, chiunque te lo chieda.

d ☐ Non firmare quel contratto, quantunque te lo chieda.

28. a ☐ Attualmente la città ha poco meno del milione di abitanti.

b ☐ Attualmente la città ha poco meno di un milione di abitanti.

c ☐ Attualmente la città ha poco meno di un milione degli abitanti.

d ☐ Attualmente la città ha poco meno del milione degli abitanti.

29. a ☐ Quelle ragazze si credevano eleganti, ma non erano.

b ☐ Quelle ragazze si credevano eleganti, ma non ne erano.

c ☐ Quelle ragazze si credevano eleganti, ma non le erano.

d ☐ Quelle ragazze si credevano eleganti, ma non lo erano.

30. a ☐ Il cielo è coperto, sta a piovere.

b ☐ Il cielo è coperto, sta piovere.

c ☐ Il cielo è coperto, sta per piovere.

d ☐ Il cielo è coperto, sta per piovendo.

31. a ☐ Qualora facesse molto freddo, una sola stufa a legna non sarebbe sufficiente a riscaldarvi.

b ☐ Qualora faceva molto freddo, una sola stufa a legna non sarebbe sufficiente a riscaldarvi.

c ☐ Qualora faccia molto freddo, una sola stufa a legna non sarebbe sufficiente a riscaldarvi.

d ☐ Qualora fa molto freddo, una sola stufa a legna non sarà sufficiente a riscaldarvi.

32. a ☐ Si ha viaggiato con grande difficoltà a causa della nebbia.

b ☐ Si è viaggiati con grande difficoltà a causa della nebbia.

c ☐ Si è viaggiato con grande difficoltà a causa della nebbia.

d ☐ Ci si è viaggiato con grande difficoltà a causa della nebbia.

33. a ☐ Speriamo che il dente possa essere curato e non deve essere tolto.

b ☐ Speriamo che il dente si possa curare e non si debba togliere.

c ☐ Speriamo che il dente possa curare e non debba essere tolto.

d ☐ Speriamo che il dente si può curare e non deva essere tolto.

34. a ☐ Il medico voleva che il paziente stasse sdraiato.

b ☐ Il medico voleva che il paziente stava sdraiato.

c ☐ Il medico voleva che il paziente stesse sdraiato.

d ☐ Il medico voleva che il paziente fosse stato sdraiato.

35. a ☐ Con quel tempo era facile che domani sarebbe nevicato.

b ☐ Con quel tempo era facile che domani avrebbe nevicato.

c ☐ Con quel tempo era facile che l'indomani sarebbe nevicato.

d ☐ Con questo tempo era facile che l'indomani nevicherebbe.

36. a ☐ Dopo che visitiamo la Basilica di San Francesco, scriveremo qualche cartolina.

b ☐ Dopo che avremo visitato la Basilica di San Francesco, scriveremo qualche cartolina.

c ☐ Dopo che visitiamo la Basilica di San Francesco, avremo scritto qualche cartolina.

d ☐ Dopo che visiteremo la Basilica di San Francesco, scriveremo qualche cartolina.

37. a ☐ Invece usare sempre la macchina, dovresti camminare un po'.

b ☐ Anziché usare sempre la macchina, dovresti camminare un po'.

c ☐ Mentre usare sempre la macchina, dovresti camminare un po'.

d ☐ Piuttosto usare sempre la macchina, dovresti camminare un po'.

38. a ☐ Quando si conoscono bene, si dà del tu.

b ☐ Quando ci conosciamo bene, si dà del tu.

c ☐ Quando ci si conosce bene, ci si dà del tu.

d ☐ Quando ci conosciamo bene, ci si diamo del tu.

39. a ☐ Mangiare alla mensa universitaria è più a buon mercato che andare al ristorante.

b ☐ Mangiare alla mensa universitaria è più a buon mercato come andare al ristorante.

c ☐ Mangiare alla mensa universitaria è a più buon mercato che andare al ristorante.

d ☐ Mangiare alla mensa universitaria è a più buon mercato di andare al ristorante.

40. a ☐ Dal suo punto di vista ha ragione se si sente offeso.

b ☐ Dal punto di sua vista ha ragione se si sente offeso.

c ☐ Da suo punto di vista ha ragione se si sente offeso.

d ☐ Da punto di sua vista ha ragione se si sente offeso.

41. a ☐ La ragazza credeva che lui desse troppo importanza a quelle foto.

b ☐ La ragazza credeva che lui desse troppa importanza a quelle foto.

c ☐ La ragazza credeva che lui dasse troppa importanza a quelle foto.

d ☐ La ragazza credeva che lui dava troppa importanza a quelle foto.

42. a ☐ Si tratta di un romanzo molto bello, di cui autore era sconosciuto fino a poco tempo fa.

b ☐ Si tratta di un romanzo molto bello, il cui autore era sconosciuto fino a poco tempo fa.

c ☐ Si tratta di un romanzo molto bello, cui autore era sconosciuto fino a poco tempo fa.

d ☐ Si tratta di un romanzo molto bello, del cui autore era sconosciuto fino a poco tempo fa.

43. a ☐ A protezione del frutteto si è messo una rete metallica.

b ☐ A protezione del frutteto hanno messa una rete metallica.

c ☐ A protezione del frutteto è stata messa una rete metallica.

d ☐ A protezione del frutteto è venuta messa una rete metallica.

44. a ☐ A quella battuta la ragazza rise molto e il suo umore migliorava.

b ☐ A quella battuta la ragazza rise molto e il suo umore migliorò.

c ☐ A quella battuta la ragazza rise molto e il suo umore è migliorato.

d ☐ A quella battuta la ragazza rise molto e il suo umore ha migliorato.

45. a ☐ Pur essendo bravo a scuola, era terrorizzato dall'idea di poter essere bocciato.

b ☐ Anche essendo bravo a scuola, era terrorizzato dall'idea di poter essere bocciato.

c ☐ Benché era bravo a scuola, era terrorizzato dall'idea di poter essere bocciato.

d ☐ Quantunque era bravo a scuola, era terrorizzato dall'idea di poter essere bocciato.

46. Il bambino disse agli amichetti: "Oggi tocca a me".

   a ☐ Il bambino disse agli amichetti che quel giorno toccava a lui.

   b ☐ Il bambino disse agli amichetti che quel giorno toccasse a lui.

   c ☐ Il bambino disse agli amichetti che allora toccava.

   d ☐ Il bambino disse agli amichetti che allora gli toccava.

47. Pietro mi chiese: "Quando verrai a fare i compiti da me?".

   a ☐ Pietro mi chiese che quando andrei a fare i compiti da lui.

   b ☐ Pietro mi chiese che quando sarò andato a fare i compiti da lui.

   c ☐ Pietro mi chiese quando sarei venuto a fare i compiti da lui.

   d ☐ Pietro mi chiese quando sarei andato a fare i compiti da lui.

48. Rita disse a Carla di andare a trovarla quella sera e di portarle le foto che aveva fatto in Italia.

   a ☐ Rita disse a Carla: "Va' a trovarla la sera e portale le foto che hai fatto in Italia!".

   b ☐ Rita disse a Carla: "Vieni a trovarmi stasera e porta le foto che avevi fatto in Italia!".

   c ☐ Rita disse a Carla: "Vieni a trovarmi stasera e portami le foto che avevi fatte in Italia!".

   d ☐ Rita disse a Carla: "Vieni a trovarmi stasera e portami le foto che hai fatto in Italia!".

49. a ☐ È una persona molto onesta. Non ha mai cercato di ingannare nessuno.

   b ☐ È una persona molto onesta. Non ha mai cercato di ingannare ognuno.

   c ☐ È una persona molto onesta. Non ha mai cercato di ingannare ciascuno.

   d ☐ È una persona molto onesta. Non ha mai cercato di ingannare chiunque.

50. a ☐ Senza di accorgercene, si era fatto tardi.

   b ☐ Senza che accorgersi, si è fatto tardi.

   c ☐ Senza di accorgere, si è fatto tardi.

   d ☐ Senza che ce ne accorgessimo, si era fatto tardi.

lessico

51. a ☐ Gli occhiali da sole che porta gli deferiscono un'aria intelligente.

   b ☐ Gli occhiali da vista che porta gli conferiscono un'aria da intellettuale.

   c ☐ Gli occhiali da riposo che porta gli trasferiscono un aspetto intelligente.

   d ☐ Gli occhiali da lettura che porta gli riferiscono un aspetto da intellettuale.

52. a ☐ Essendo stato promosso, è stato differito ad altro importante incarico.

   b ☐ Essendo stato promosso, è stato trasferito ad un incarico superiore.

   c ☐ Essendo stato promosso, è stato conferito ad altro ufficio.

   d ☐ Essendo stato promosso, è stato preferito ad altro posto.

53. Ha avuto in regalo un bellissimo segugio ed ora lo sta addestrando.

   SEGUGIO significa:

   d ☐ cane da guardia

   d ☐ cane da compagnia

   d ☐ cane da tartufo

   d ☐ cane da caccia

54. Ho chiaro il quadro della situazione ed è superfluo che tu vada avanti a parlarmene.

   SUPERFLUO significa:

   a ☐ necessario

   b ☐ importante

   c ☐ inutile

   d ☐ utile

55. Non mi è piaciuto il tuo discorso molto artificioso e nient'affatto simpatico.

   ARTIFICIOSO significa:

   a ☐ artistico

   b ☐ fatto a regola d'arte

   c ☐ privo di spontaneità

   d ☐ complesso

56. Molti sostengono che le sue proprietà ammontino a svariati milioni di euro.

AMMONTARE significa:

a ☐ andare al monte

b ☐ scalare un monte

c ☐ assommare

d ☐ raggiungere la cima

57. In una situazione difficile come questa si deve agire con la massima accortezza.

ACCORTEZZA significa:

a ☐ attenzione e astuzia

b ☐ velocità e precisione

c ☐ brevità e descrizione

d ☐ audacia e capacità

58. Quel senatore è insuperabile nel fare polemica sempre e comunque.

POLEMICA significa:

a ☐ disaccordo totale

b ☐ accesa controversia

c ☐ litigata vivace

d ☐ lunga discussione

59. Abita in una bella villa in campagna ristrutturata di recente.

RISTRUTTURARE significa:

a ☐ costruire ex-novo

b ☐ rifare dalle fondamenta

c ☐ mettere in sicurezza

d ☐ rimettere a nuovo

60. Ogni dieci anni in questo Paese c'è un censimento della popolazione e delle attività.

CENSIMENTO significa:

a ☐ raccolta di voti

b ☐ raccolta di dati

c ☐ raccolta di tributi

d ☐ raccolta di pareri

61. a ☐ Il contrario di veloce è scattante.

b ☐ Il contrario di veloce è lento.

c ☐ Il contrario di veloce è frettoloso.

d ☐ Il contrario di veloce è svelto.

62. Al mercato di frutta e verdura compriamo:

a ☐ un chilo di albicocche e due chili di gamberi.

b ☐ due chili di patate e un chilo di pesche.

c ☐ un chilo di pesce e un sacchetto di limoni.

d ☐ mezzo chilo di spinaci e un etto di fegato d'oca.

63. a ☐ Compro anche del pecorino gratuito.

b ☐ Compro anche del pecorino grattugiato.

c ☐ Compro anche del pecorino grattato.

d ☐ Compro anche del pecorino gratinato.

64. a ☐ Ti sarei veramente gradito se potessi rispondermi subito.

b ☐ Le sarei davvero gratificato se potesse inviarmi una e-mail con tutti i dati richiesti.

c ☐ Vi sarei grato se voleste contattarmi telefonicamente con cortese sollecitudine.

d ☐ Sarei realmente gradevole se poteste telefonarmi appena possibile.

65. a ☐ Non voglio percorrere questa strada perché non è asfaltata ed è piena di buche.

b ☐ Non voglio fare questa strada perché non è sterrata ed è piena di buche.

c ☐ Non voglio imboccare questa strada che non è stretta ed è piena di buche.

d ☐ Non voglio prendere questa strada che non è pericolosa ed è piena di buche.

66. a ☐ Chi non ci vede bene deve portare un bastone.

b ☐ Chi non ci vede bene deve portare occhiali da vista.

c ☐ Chi non ci vede bene deve portare occhiali da sole.

d ☐ Chi non ci vede bene deve portare occhiali speciali.

67. a ☐ Sono sicuro che la nostra squadra vincerà anche la prossima partita. Scommettiamo un caffè?

b ☐ Sono sicuro che la nostra squadra vincerà anche la prossima partita. Prepariamo un caffè?

c ☐ Sono sicuro che la nostra squadra vincerà anche la prossima partita. Gli offriamo un caffè?

d ☐ Sono sicuro che la nostra squadra vincerà anche la prossima partita. Beviamo un caffè?

68. L'espressione idiomatica "È una buona forchetta" significa:

a ☐ È una buona forchetta, cioè una persona che usa la forchetta.

b ☐ È una buona forchetta, cioè una forchetta preziosa.

c ☐ È una buona forchetta, cioè una persona che mangia molto.

d ☐ È una buona forchetta, cioè una forchetta in acciaio inossidabile.

69. a ☐ Il figlio della sorella del loro padre è il loro nipote.

b ☐ Il figlio della sorella del loro padre è il loro cognato.

c ☐ Il figlio della sorella del loro padre è il loro cugino.

d ☐ Il figlio della sorella del loro padre è il loro figliastro.

70. a ☐ Ha avuto non poche difficoltà, ma alla fine è arrivato sano e contento.

b ☐ Ha avuto non poche difficoltà, ma alla fine è arrivato sano e felice.

c ☐ Ha avuto non poche difficoltà, ma alla fine è arrivato sano e sicuro.

d ☐ Ha avuto non poche difficoltà, ma alla fine è arrivato sano e salvo.

VII C

GIORNO	MESE	ANNO

1. a ☐ Sarebbe proprio utile che tutti voi imparaste l'italiano.

   b ☐ Sarà proprio utile che tutti voi imparaste l'italiano.

   c ☐ Sarà proprio utile che tutti voi imparereste l'italiano.

   d ☐ Sarebbe proprio utile che tutti voi impariate l'italiano.

2. a ☐ Nel momento in quando sono sceso dal treno a Roma ho provato una grande gioia.

   b ☐ Nel momento in che sono sceso dal treno a Roma ho provato una grande gioia.

   c ☐ Nel momento in cui sono sceso dal treno a Roma ho provato una grande gioia.

   d ☐ Nel momento in quale sono sceso dal treno a Roma ho provato una grande gioia.

3. a ☐ La Terra è una pianeta del sistema solare.

   b ☐ La Terra è un pianeta del sistema solare.

   c ☐ La Terra è un pianeta della sistema solare.

   d ☐ La Terra è una pianeta della sistema solare.

4. a ☐ In questi ultimi vent'anni la medicina ha fatto passi da corazziere.

   b ☐ In questi ultimi vent'anni la medicina ha fatto passi da gigante.

   c ☐ In questi ultimi vent'anni la medicina ha fatto passi da granatiere.

   d ☐ In quelli ultimi vent'anni la medicina ha fatto passi da titano.

5. a ☐ Tutti i membri del Consiglio d'Istituto si riuniranno domani.

   b ☐ Tutte le membre del Consiglio d'Istituto si riuniranno domani.

   c ☐ Tutte membra del Consiglio d'Istituto si riuniranno domani.

   d ☐ Tutti membri del Consiglio d'Istituto si riuniranno domani.

6. a ☐ Stamattina ho ricevuto una raccomandato e uno espresso.

   b ☐ Stamattina ho ricevuto raccomandata e espresso.

   c ☐ Stamattina ho ricevuto una raccomandata e un espresso.

   d ☐ Stamattina ho ricevuto una raccomandata e espresso.

7. a ☐ Nell'antichità le città erano circondate da alti muri.

   b ☐ Nell'antichità le città erano circondate di alti muri.

   c ☐ Nell'antichità le città erano circondate da alte mura.

   d ☐ Nell'antichità le città erano circondate di alte mure.

8. a ☐ Non mi serve nulla, grazie.

   b ☐ Mi serve nulla, grazie.

   c ☐ Nulla non mi serve, grazie.

   d ☐ Non nulla mi serve, grazie.

9. a ☐ Preparami due uova sodi!

   b ☐ Preparami due uovi sodi!

   c ☐ Preparami due uova sode!

   d ☐ Preparami due uove sode!

10. a ☐ I bracci di Po occupano una vasta regione.

    b ☐ I bracci del Po occupano una vasta regione.

    c ☐ Le bracce di Po occupano una vasta regione.

    d ☐ Le braccia del Po occupano una vasta regione.

11. Quante sorelle ha tuo marito?

    a ☐ Non ha nessuna.

    b ☐ Ha nessuna.

    c ☐ Nessuna non ha.

    d ☐ Non ne ha nessuna.

12. a ☐ Il ciclista era così veloce che nessuno lo raggiunse.

    b ☐ Il ciclista era tanto veloce quanto nessuno lo raggiunse.

    c ☐ Il ciclista era veloce che nessuno lo raggiunse.

    d ☐ Il ciclista era veloce come nessuno lo raggiunse.

13. a ☐ Beviamo questo bicchiere di vino al tuo salute.

  b ☐ Beviamo questo bicchiere di vino a tuo saluto.

  c ☐ Beviamo questo bicchiere di vino alla tua salute.

  d ☐ Beviamo questo bicchiere di vino a salute tua.

14. a ☐ Io cuocio la pasta, voi cocete la carne.

  b ☐ Io cuocio la pasta, voi cuocete la carne.

  c ☐ Io cuoccio la pasta, voi cuocete la carne.

  d ☐ Io cocio la pasta, voi cocete la carne.

15. a ☐ I Baldini abitano di fronte la gelateria.

  b ☐ I Baldini abitano di fronte alla gelateria.

  c ☐ I Baldini abitano a fronte la gelateria.

  d ☐ I Baldini abitano a fronte della gelateria.

16. a ☐ È andata al macellaio ed ha comprato un chilo dalla carne.

  b ☐ È andata dal macellaio ed ha comprato un chilo da carne.

  c ☐ È andata al macellaio ed ha comprato un chilo della carne.

  d ☐ È andata dal macellaio ed ha comprato un chilo di carne.

17. a ☐ Incolonnate sull'autostrada, le auto procedevano lente come lumache.

  b ☐ Erano incolonnate sull'autostrada, le auto procedevano lente come lumache.

  c ☐ Sono incolonnate sull'autostrada, le auto procedevano lente come lumache.

  d ☐ Essendo incolonnato sull'autostrada, le auto procedevano lente come lumache.

18. a ☐ Era un monte altissimo e non vedeva la cima perché era coperta dalle nuvole.

  b ☐ Era un monte altissimo e non se ne vedeva la cima perché era coperta dalle nuvole.

  c ☐ Era un monte altissimo e non se ne vedeva la cima perché stava coperta di nuvole.

  d ☐ Era un monte altissimo e non se ne vedeva la cima perché è stata coperta di nuvole.

19. a ☐ È un ragazzo egoista: agisce soltanto in suo interesse.

  b ☐ È un ragazzo egoista: agisce soltanto nel loro interesse.

  c ☐ È un ragazzo egoista: agisce soltanto nel proprio interesse.

  d ☐ È un ragazzo egoista: agisce soltanto in interesse suo.

20. a ☐ Signorina, scegliete pure tutti i fiori che preferisce.

  b ☐ Signorina, scegli pure tutti i fiori che preferisce.

  c ☐ Signorina, scelga pure tutti i fiori che preferisce.

  d ☐ Signorina, scelga pure tutti i fiori che preferisci.

21. Chi vi ha dedicato queste bellissime canzoni?

  a ☐ Ce l'ha dedicato un nostro amico cantautore.

  b ☐ Ce le ha dedicate un nostro amico cantautore.

  c ☐ Ci ha dedicato un nostro amico cantautore.

  d ☐ Le ha dedicate un nostro amico cantautore.

22. a ☐ Dovrei comprarmi un'asciugacapelli nuova.

  b ☐ Dovrei comprarmi un asciugacapelli nuovo.

  c ☐ Dovrei comprarmi dei asciugacapelli nuovi.

  d ☐ Dovrei comprarmi asciugacapelli nuovo.

23. a ☐ Dopo preso quella pillola, si è sentito subito meglio.

  b ☐ Dopo presa quella pillola, si è sentito subito meglio.

  c ☐ Presa quella pillola, si è sentito subito meglio.

  d ☐ Preso quella pillola, si è sentito subito meglio.

24. a ☐ Del mio gatto si è preso cura un ottimo veterinario che si era rotto una zampa.

  b ☐ Del mio gatto, che si era rotto una zampa, si è preso cura un ottimo veterinario.

  c ☐ Un ottimo veterinario, che si era rotto una zampa, si è preso cura del mio gatto.

  d ☐ Rottosi una zampa, un ottimo veterinario si è preso cura del mio gatto.

25. a ☐ Sono molto più furbi come intelligenti.

b ☐ Sono molto più furbi di intelligenti.

c ☐ Sono molto più furbi che intelligenti.

d ☐ Sono molto più furbi quanto intelligenti.

26. a ☐ Questi giovani, appena avranno finito il corso, troveranno un buon posto di lavoro.

b ☐ Questi giovani, appena finiranno il corso, troveranno un buon posto di lavoro.

c ☐ Questi giovani, appena finiranno il corso, avranno trovato un buon posto di lavoro.

d ☐ Questi giovani, appena avranno finito il corso, avranno trovato un buon posto di lavoro.

27. a ☐ Come vadano le elezioni, avremo tempi difficili.

b ☐ Comunque vadano le elezioni, avremo tempi difficili.

c ☐ Sebbene vadano le elezioni, avremo tempi difficili.

d ☐ Benché vadano le elezioni, avremo tempi difficili.

28. a ☐ Credetemi, non è stata la colpa mia.

b ☐ Credetemi, non è stata colpa mia.

c ☐ Credetemi, non è stata mia colpa.

d ☐ Credetemi, non è stata la mia colpa.

29. a ☐ I piccoli si misero in fila l'uno dietro con l'altro.

b ☐ I piccoli si misero in fila uno dietro all'altro.

c ☐ I piccoli si misero in fila uno dietro l'altro.

d ☐ I piccoli si misero in fila uno dietro altro.

30. a ☐ Non mi assumo responsabilità per le colpe altrui.

b ☐ Non assumo responsabilità per altrue colpe.

c ☐ Non mi assumo responsabilità per le colpe altrue.

d ☐ Non mi assumo responsabilità per le altrue colpe.

31. a ☐ Mi meraviglia il fatto che voi lo dobbiate prendere sempre con me.

b ☐ Mi meraviglia il fatto che voi ve la dobbiate prendere sempre con me.

c ☐ Mi meraviglia il fatto che voi dobbiate prendervelo sempre con me.

d ☐ Mi meraviglia il fatto che voi vela dobbiate prendere sempre a me.

32. a ☐ Decisi di chiedere consiglio ad un'amica di cui giudizio mi fidavo molto.

b ☐ Decisi di chiedere consiglio ad un'amica del cui giudizio mi fidavo molto.

c ☐ Decisi di chiedere consiglio ad un'amica della quale giudizio mi fidavo molto.

d ☐ Decisi di chiedere consiglio ad un'amica di chi giudizio mi fidavo molto.

33. a ☐ Da chi sono stati pubblicati questi meravigliosi volumi?

b ☐ Da chi si sono pubblicati questi meravigliosi volumi?

c ☐ Da chi sono venuti pubblicati questi meravigliosi volumi?

d ☐ Da chi hanno pubblicati questi meravigliosi volumi?

34. a ☐ La realizzazione del traforo ha accorciato le distanze dell'Italia e della Francia.

b ☐ La realizzazione del traforo ha accorciato le distanze fra l'Italia e la Francia.

c ☐ La realizzazione del traforo ha accorciato le distanze in Italia e in Francia.

d ☐ La realizzazione di traforo ha accorciato le distanze nell'Italia e nella Francia.

35. a ☐ Ho scritto due righe a Maria per ringraziarla del regalo che mi aveva mandato in occasione del mio compleanno.

b ☐ Ho scritto due righe a Maria per ringraziarla per regalo che mi aveva mandato all'occasione del mio compleanno.

c ☐ Ho scritto due righe a Maria per ringraziarla del regalo che mi aveva mandato per occasione del mio compleanno.

d ☐ Ho scritto due righe a Maria per ringraziarla del regalo che mi aveva mandato nell'occasione di mio compleanno.

36. a ☐ Alle nove della sera le porte delle aule vengono chiuse con chiave dagli uscieri.

b ☐ Alle nove di sera le porte di aule vengono chiuse a chiave degli uscieri.

c ☐ Alle nove di sera le porte delle aule vengono chiuse a chiave dagli uscieri.

d ☐ Alle nove di sera le porte delle aule vengono chiuse per chiave dagli uscieri.

37. a ☐ Distratti dai suoi pensieri, non si accorse dell'arrivo del suo amico.

b ☐ Distratto dai suoi pensieri, non si accorse dell'arrivo del suo amico.

c ☐ Come distratto dei suoi pensieri, non si accorse dell'arrivo del suo amico.

d ☐ Avendo distratto dai suoi pensieri, non si accorse dell'arrivo del suo amico.

38. a ☐ Il tempo è stato pessimo fino alla settimana scorsa.

b ☐ Il tempo è stato il più brutto fino a stamattina.

c ☐ Il tempo è stato il pessimo fino a stamattina.

d ☐ Il tempo è stato pessimo fino a settimana scorsa.

39. a ☐ Tutti gli insetti sono stati uccisi dal gelo; purtroppo ognuno è sopravvissuto a questo freddo.

b ☐ Tutti gli insetti sono stati uccisi dal gelo; purtroppo nessuno è sopravvissuto a questo freddo.

c ☐ Tutti gli insetti sono stati uccisi dal gelo; purtroppo nessuno non ha sopravvissuto a questo freddo.

d ☐ Tutti gli insetti sono stati uccisi dal gelo; purtroppo qualcuno è sopravvissuto a questo freddo.

40. a ☐ Alcuni libri di questa biblioteca non vengono consultati da diversi anni.

b ☐ Alcuni libri di questa biblioteca non vengono consultati da qualche anni.

c ☐ Qualunque libri di questa biblioteca non vengono consultati da diversi anni.

d ☐ Qualsiasi libri di questa biblioteca non vengono consultati da diversi anni.

41. a ☐ Se in questa casa non ci risparmiamo un po', non si potrà andare in vacanza.

b ☐ Se in questa casa non ci si risparmia un po', non potremo andare in vacanza.

c ☐ Se in questa casa non si risparmia un po', non si potrà andare in vacanza.

d ☐ Se in questa casa non si risparmia un po', non si ci potrà andare in vacanza.

42. a ☐ Ormai la nostra squadra perderà questa partita, a meno che gli avversari commettano qualche errore all'ultimo momento.

b ☐ Ormai la nostra squadra perderà questa partita se gli avversari commettono qualche errore all'ultimo momento.

c ☐ Ormai la nostra squadra perderà questa partita non appena gli avversari commettono qualche errore all'ultimo momento.

d ☐ Ormai la nostra squadra perderà questa partita affinché gli avversari commettano qualche errore all'ultimo momento.

43. a ☐ I bambini hanno contratto qualche malattia: tutti e tre sono malati di morbillo.

b ☐ I bambini hanno contratto la stessa malattia: tutti e tre sono malati di morbillo.

c ☐ I bambini hanno contratto qualunque malattia: tutti e tre sono malati di morbillo.

d ☐ I bambini hanno contratto alcuna malattia: tutti e tre sono malati di morbillo.

44. Luigi disse: "Domani andrò a Venezia".

a ☐ Luigi disse che il giorno successivo sarebbe andato a Venezia.

b ☐ Luigi disse che il giorno precedente sarebbe andato a Venezia.

c ☐ Luigi disse che il giorno seguente andrebbe a Venezia.

d ☐ Luigi disse che il giorno seguente sarà andato a Venezia.

45. Il preside mi chiese che intenzioni avessi per quanto riguardava gli studi.

a ☐ Il preside mi chiese: "Che intenzioni avessi per quanto riguardava gli studi?".

b ☐ Il preside mi chiese: "Che intenzioni avevi per quanto riguardava gli studi?".

c ☐ Il preside mi chiese: "Che intenzioni hai per quanto ha riguardato gli studi?".

d ☐ Il preside mi chiese: "Che intenzioni hai per quanto riguarda gli studi?".

46. a ☐ Le foto che hai fatto sviluppare, sono bianche e nere o a colori?

b ☐ Le foto che hai fatto sviluppare, sono bianconere o colorate?

c ☐ Le foto che hai fatto sviluppare, sono in bianco e nero o a colori?

d ☐ Le foto che hai fatto sviluppare, sono in bianco e nero o in colori?

47. a ☐ Si è spedita la raccomandata, ma ci si è dimenticati di pagare le tasse.

b ☐ Si ha spedita la raccomandata, ma si è dimenticato di pagare le tasse.

c ☐ Si ha spedito la raccomandata, ma ci si è dimenticati di pagare le tasse.

d ☐ Si è spedito la raccomandata, ma si sono dimenticate di pagare le tasse.

48. a ☐ Non essendoci nessuno a casa, ho lasciato un biglietto sotto lo zerbino.

b ☐ Non essendo nessuno a casa, ho lasciato un biglietto sotto zerbino.

c ☐ Non essendoci qualsiasi a casa, ho lasciato un biglietto sotto lo zerbino.

d ☐ Non essendo stato nessuno a casa, ho lasciato un biglietto sotto lo zerbino.

49. a ☐ Difesero quel loro amico con forza, perché seppero che ha avuto ragione.

b ☐ Difesero quel loro amico con forza, perché sapevano che ebbe ragione.

c ☐ Difendevano quel loro amico con forza, perché hanno saputo che aveva ragione.

d ☐ Difesero quel loro amico con forza, perché sapevano che aveva ragione.

50. a ☐ Sono in serie difficoltà: ho proprio l'acqua alla bocca.

b ☐ Sono in serie difficoltà: ho proprio l'acqua al collo.

c ☐ Sono in serie difficoltà: ho proprio l'acqua al mento.

d ☐ Sono in serie difficoltà: ho proprio l'acqua alla gola.

lessico

51. Una visita ad Assisi può essere un buon pretesto per fare una vacanza tra le colline umbre.

PRETESTO significa:

a ☐ invenzione

b ☐ premio

c ☐ bisogno

d ☐ occasione

52. È una brava persona, ha un buon carattere, è ubbidiente e devota.

DEVOTA significa:

a ☐ studiosa

b ☐ educata

c ☐ colta

d ☐ affezionata e fedele

53. Le assicuro che questo è un prodotto che si trova ovunque.

OVUNQUE significa:

a ☐ in qualsiasi luogo

b ☐ in qualche luogo

c ☐ quasi in ogni posto

d ☐ non in ogni luogo

54. Non fare caso a ciò che fa e dice, è un tipo bizzarro.

BIZZARRO significa:

a ☐ che fa sempre capricci

b ☐ buffo

c ☐ ridicolo

d ☐ strano e originale

55. Come professione fa l'agronomo, ma ora è in aspettativa.

AGRONOMO significa:

a ☐ coltivatore dei campi

b ☐ esperto di sapori agri

c ☐ addetto alla coltivazione di agrumi

d ☐ studioso del problema della coltivazione della terra

56. È un qualunquista patentato, nonostante ciò è un politico stimato ed ammirato.

QUALUNQUISTA significa:

a ☐ chi parla con chiunque

b ☐ chi difende qualunque ideologia politica

c ☐ chi mostra indifferenza ai problemi politici

d ☐ chi apprezza qualsiasi ideologia politica

57. Quando si parla con esperti o addetti ai lavori si deve usare una terminologia adeguata.

TERMINOLOGIA significa:

a ☐ raccolta di termini

b ☐ lessico specifico di una materia

c ☐ parti terminali di parole

d ☐ significato di suffissi finali

58. Quando una campagna elettorale è accesa tutti sostengono che gli altri fanno demagogia.

DEMAGOGIA significa:

a ☐ arte di conquistare la gente con promesse irrealizzabili.

b ☐ capacità di dire cose sgradevoli alla gente.

c ☐ abilità di convincere la gente ad andare a votare.

d ☐ bravura nel parlare chiaramente alla gente.

59. a ☐ Regala ad effusione come se avesse chissà quanti soldi.

b ☐ Regala a profusione come se avesse chissà quanti soldi.

c ☐ Regala a diffusione come se avesse chissà quanti soldi.

d ☐ Regala a confusione come se avesse chissà quanti soldi.

60. a ☐ È una situazione complessa e difficile che mi comprime sempre di più.

b ☐ È una situazione complessa e difficile che mi reprime sempre di più.

c ☐ È una situazione complessa e difficile che mi opprime sempre di più.

d ☐ È una situazione complessa e difficile che mi sopprime sempre di più.

61. a ☐ È brava e aggiornata: nelle discussioni mantiene sempre testa a tutti.

b ☐ È brava e aggiornata: nelle discussioni trattiene sempre testa a tutti.

c ☐ È brava e aggiornata: nelle discussioni tiene sempre testa a tutti.

d ☐ È brava e aggiornata: nelle discussioni sostiene sempre testa a tutti.

62. In Italia nei ristoranti si paga "il coperto". Che cos'è?

a ☐ È una terrazza coperta.

b ☐ È la quota fissa da pagare per ogni pasto individuale.

c ☐ È la tovaglia con cui si copre la tavola.

d ☐ È la divisa che indossano i camerieri.

63. Molte donne vanno a lavorare per quattro soldi, cioè:

a ☐ lavorano quattro ore al giorno.

b ☐ lavorano per poco denaro.

c ☐ chi è brava lavora per quattro.

d ☐ prendono quattro euro all'ora.

64. a ☐ L'oggetto nel quale si tiene il pane è il panettiere.

b ☐ L'oggetto nel quale si tiene il pane è il paniere.

c ☐ L'oggetto nel quale si tiene il pane è il panificio.

d ☐ L'oggetto nel quale si tiene il pane è il panettone.

65. a ☐ Gli portiamo una bella torta di compleanno con le candele.

b ☐ Gli portiamo una bella torta di compleanno con il candelotto.

c ☐ Gli portiamo una bella torta di compleanno con le candeline.

d ☐ Gli portiamo una bella torta di compleanno con il candeliere.

66. a ☐ Con i bollini della benzina abbiamo ricevuto gratis un servizio da caffè.

b ☐ Con le fatture della benzina abbiamo ricevuto gratis un servizio da caffè.

c ☐ Con le ricevute della benzina abbiamo ricevuto gratis un servizio da caffè.

d ☐ Con i tagliandi della benzina abbiamo ricevuto gratis un servizio da caffè.

67. a ☐ Bisogna battere il metallo finché è caldo.

b ☐ Bisogna battere il ferro finché è caldo.

c ☐ Bisogna battere l'acciaio finché è caldo.

d ☐ Bisogna battere l'argento finché è caldo.

68. a ☐ Ha appreso quella lieta novella con preoccupazione.

b ☐ Ha appreso quella lieta novella con fastidio.

c ☐ Ha appreso quella lieta novella con gaudio.

d ☐ Ha appreso quella lieta novella con costernazione.

69. a ☐ In un giorno quel fiore è sbocciato, è fiorito, è finito ed è caduto.

b ☐ In un giorno quel fiore è sbocciato, è fiorito, è invecchiato ed è caduto.

c ☐ In un giorno quel fiore è sbocciato, è fiorito, è appassito ed è caduto.

d ☐ In un giorno quel fiore è sbocciato, è fiorito, si è consumato ed è caduto.

70. Una società multietnica è:

a ☐ una società dove si pagano molte multe.

b ☐ una società che riconosce molte religioni.

c ☐ una società ricca di tradizioni popolari.

d ☐ una società composta da gente diversa per costume e lingua.

Chiavi

I A

1-d / 2-d / 3-c / 4-a / 5-a / 6-c / 7-d / 8-a / 9-b / 10-b /
11-c / 12-b / 13-d / 14-a / 15-b / 16-b / 17-c / 18-c /
19-a / 20-b / 21-d / 22-a / 23-a / 24-c / 25-b / 26-a /
27-c / 28-d / 29-c / 30-a / 31-b / 32-b / 33-d / 34-a /
35-c / 36-d / 37-c / 38-d / 39-c / 40-c / 41-d / 42-b /
43-c / 44-d / 45-b / 46-c / 47-a / 48-a / 49-c / 50-d

I B

1-c / 2-b / 3-d / 4-b / 5-c / 6-a / 7-a / 8-a / 9-c / 10-a /
11-d / 12-a / 13-c / 14-d / 15-c / 16-c / 17-b / 18-c /
19-a / 20-d / 21-a / 22-b / 23-c / 24-d / 25-c / 26-a /
27-c / 28-c / 29-c / 30-d / 31-c / 32-d / 33-d / 34-a /
35-b / 36-d / 37-b / 38-a / 39-c / 40-d / 41-b / 42-a /
43-d / 44-c / 45-b / 46-c / 47-d / 48-a / 49-b / 50-b

II A

1-b / 2-c / 3-a / 4-a / 5-c / 6-c / 7-a / 8-b / 9-a / 10-c /
11-b / 12-b / 13-c / 14-a / 15-c / 16-c / 17-c / 18-c /
19-d / 20-b / 21-a / 22-d / 23-a / 24-c / 25-a / 26-d /
27-c / 28-b / 29-d / 30-a / 31-c / 32-b / 33-a / 34-a /
35-c / 36-c / 37-a / 38-d / 39-a / 40-a / 41-a / 42-a /
43-b / 44-b / 45-c / 46-c / 47-d / 48-c / 49-c / 50-c /
51-a / 52-b / 53-a / 54-a

II B

1-a / 2-b / 3-d / 4-c / 5-a / 6-c / 7-a / 8-c / 9-a / 10-a /
11-d / 12-b / 13-c / 14-d / 15-c / 16-c / 17-b / 18-c /
19-b / 20-a / 21-b / 22-d / 23-b / 24-c / 25-c / 26-d /
27-d / 28-b / 29-c / 30-a / 31-c / 32-b / 33-a / 34-c /
35-d / 36-d / 37-c / 38-a / 39-c / 40-c / 41-b / 42-d /
43-c / 44-c / 45-b / 46-b / 47-a / 48-a / 49-c / 50-d /
51-d / 52-c / 53-b / 54-c

III A

1-a / 2-b / 3-a / 4-d / 5-b / 6-c / 7-c / 8-c / 9-a / 10-b /
11-c / 12-b / 13-a / 14-c / 15-a / 16-b / 17-d / 18-c /
19-a / 20-a / 21-c / 22-d / 23-c / 24-a / 25-b / 26-d /
27-c / 28-a / 29-c / 30-d / 31-b / 32-b / 33-c / 34-b /
35-a / 36-d / 37-b / 38-a / 39-c / 40-d / 41-a / 42-c /
43-b / 44-d / 45-d / 46-b / 47-c / 48-a / 49-a / 50-a /
51-b / 52-d / 53-b / 54-a

III B

1-b / 2-b / 3-a / 4-b / 5-c / 6-b / 7-d / 8-a / 9-b / 10-a /
11-d / 12-b / 13-a / 14-b / 15-b / 16-d / 17-c / 18-c /
19-a / 20-b / 21-d / 22-c / 23-a / 24-b / 25-b / 26-c /
27-d / 28-d / 29-b / 30-a / 31-a / 32-c / 33-c / 34-c /
35-d / 36-a / 37-b / 38-b / 39-a / 40-c / 41-d / 42-a /
43-a / 44-c / 45-c / 46-d / 47-c / 48-a / 49-a / 50-c /
51-a / 52-c / 53-c / 54-d

IV A

1-b / 2-d / 3-c / 4-b / 5-a / 6-c / 7-d / 8-a / 9-b / 10-a /
11-d / 12-b / 13-b / 14-d / 15-d / 16-c / 17-a / 18-b /
19-c / 20-c / 21-b / 22-b / 23-d / 24-a / 25-b / 26-c /
27-a / 28-a / 29-c / 30-c / 31-a / 32-d / 33-a / 34-a /
35-d / 36-a / 37-b / 38-c / 39-b / 40-a / 41-b / 42-d /
43-d / 44-c / 45-a / 46-b / 47-c / 48-a / 49-b / 50-d /
51-c / 52-b / 53-c / 54-d / 55-a / 56-d / 57-c / 58-a /
59-c / 60-c

IV B

1-d / 2-c / 3-c / 4-a / 5-b / 6-a / 7-b / 8-b / 9-a / 10-c /
11-b / 12-d / 13-d / 14-b / 15-d / 16-c / 17-a / 18-b /
19-b / 20-d / 21-c / 22-b / 23-b / 24-a / 25-c / 26-d /
27-b / 28-d / 29-a / 30-c / 31-d / 32-b / 33-d / 34-b /
35-d / 36-a / 37-d / 38-b / 39-a / 40-c / 41-a / 42-b /
43-d / 44-c / 45-b / 46-c / 47-b / 48-d / 49-c / 50-d /
51-d / 52-a / 53-b / 54-c / 55-b / 56-b / 57-a / 58-d /
59-d / 60-c

V A

1-b / 2-a / 3-d / 4-d / 5-c / 6-c / 7-d / 8-b / 9-a / 10-c /
11-d / 12-a / 13-c / 14-b / 15-d / 16-c / 17-d / 18-a /
19-c / 20-b / 21-c / 22-a / 23-b / 24-c / 25-d / 26-c /
27-c / 28-b / 29-d / 30-d / 31-b / 32-c / 33-d / 34-b /
35-c / 36-b / 37-a / 38-c / 39-c / 40-b / 41-b / 42-c /
43-b / 44-c / 45-c / 46-a / 47-d / 48-a / 49-a / 50-d /
51-d / 52-a / 53-b / 54-d / 55-c / 56-d / 57-a / 58-c /
59-a / 60-d / 61-b / 62-d / 63-a / 64-b / 65-c / 66-b /
67-b / 68-c / 69-b / 70-d

V B

1-d / 2-b / 3-a / 4-c / 5-d / 6-a / 7-c / 8-c / 9-a / 10-b /
11-a / 12-c / 13-b / 14-a / 15-d / 16-b / 17-c / 18-c /
19-b / 20-c / 21-c / 22-b / 23-c / 24-a / 25-b / 26-c /
27-c / 28-c / 29-b / 30-c / 31-b / 32-d / 33-c / 34-b /
35-b / 36-a / 37-c / 38-d / 39-a / 40-a / 41-b / 42-d /
43-c / 44-a / 45-c / 46-b / 47-a / 48-c / 49-b / 50-b /
51-b / 52-a / 53-a / 54-b / 55-c / 56-b / 57-a / 58-a /
59-d / 60-b / 61-c / 62-b / 63-d / 64-d / 65-a / 66-c /
67-a / 68-b / 69-b / 70-c

VI A

1-a / 2-c / 3-d / 4-a / 5-c / 6-c / 7-a / 8-c / 9-c / 10-d /
11-c / 12-c / 13-a / 14-b / 15-d / 16-c / 17-b / 18-b /
19-c / 20-a / 21-a / 22-a / 23-b / 24-b / 25-d / 26-a /
27-a / 28-b / 29-a / 30-c / 31-b / 32-d / 33-a / 34-c /
35-d / 36-b / 37-b / 38-c / 39-b / 40-d / 41-c / 42-b /
43-a / 44-a / 45-b / 46-c / 47-d / 48-a / 49-c / 50-b /
51-c / 52-c / 53-a / 54-b / 55-a / 56-b / 57-b / 58-d /
59-c / 60-d / 61-a / 62-b / 63-b / 64-d / 65-a / 66-b /
67-c / 68-c / 69-a / 70-c

VI B

1-d / 2-a / 3-c / 4-c / 5-c / 6-b / 7-a / 8-b / 9-a / 10-c /
11-d / 12-d / 13-b / 14-b / 15-c / 16-c / 17-b / 18-d /
19-c / 20-b / 21-c / 22-c / 23-b / 24-a / 25-d / 26-b /
27-c / 28-b / 29-c / 30-c / 31-b / 32-c / 33-a / 34-b /
35-a / 36-b / 37-c / 38-a / 39-b / 40-c / 41-a / 42-c /
43-c / 44-a / 45-b / 46-d / 47-c / 48-d / 49-b / 50-b /
51-b / 52-b / 53-b / 54-d / 55-d / 56-b / 57-c / 58-b /
59-c / 60-d / 61-b / 62-b / 63-c / 64-d / 65-c / 66-b /
67-a / 68-a / 69-a / 70-c

VI C

1-d / 2-c / 3-d / 4-a / 5-b / 6-d / 7-c / 8-a / 9-b / 10-b /
11-d / 12-a / 13-c / 14-d / 15-b / 16-c / 17-d / 18-b /
19-c / 20-b / 21-b / 22-c / 23-d / 24-a / 25-d / 26-c /
27-a / 28-b / 29-b / 30-d / 31-a / 32-c / 33-b / 34-c /
35-b / 36-a / 37-b / 38-c / 39-c / 40-d / 41-b / 42-a /
43-b / 44-a / 45-b / 46-c / 47-b / 48-a / 49-c / 50-b /
51-c / 52-d / 53-b / 54-c / 55-d / 56-b / 57-c / 58-c /
59-d / 60-b / 61-c / 62-a / 63-b / 64-d / 65-b / 66-b /
67-b / 68-c / 69-c / 70-c

VII A

1-a / 2-b / 3-c / 4-c / 5-c / 6-b / 7-c / 8-a / 9-d / 10-c /
11-b / 12-d / 13-b / 14-c / 15-c / 16-a / 17-c / 18-c /
19-d / 20-a / 21-c / 22-b / 23-c / 24-b / 25-a / 26-b /
27-d / 28-b / 29-a / 30-d / 31-b / 32-c / 33-a / 34-b /
35-d / 36-b / 37-d / 38-c / 39-d / 40-b / 41-a / 42-b /
43-d / 44-c / 45-a / 46-d / 47-b / 48-b / 49-a / 50-d /
51-c / 52-b / 53-b / 54-c / 55-b / 56-c / 57-a / 58-c /
59-c / 60-c / 61-d / 62-d / 63-b / 64-a / 65-c / 66-c /
67-b / 68-d / 69-c / 70-d

VII B

1-a / 2-b / 3-c / 4-c / 5-a / 6-d / 7-d / 8-a / 9-b / 10-c /
11-a / 12-c / 13-b / 14-c / 15-c / 16-d / 17-a / 18-b /
19-d / 20-b / 21-a / 22-c / 23-a / 24-b / 25-c / 26-a /
27-c / 28-b / 29-d / 30-c / 31-a / 32-c / 33-b / 34-c /
35-c / 36-b / 37-b / 38-c / 39-a / 40-a / 41-b / 42-b /
43-c / 44-b / 45-a / 46-a / 47-d / 48-d / 49-a / 50-d /
51-b / 52-b / 53-d / 54-c / 55-c / 56-c / 57-a / 58-b /
59-d / 60-b / 61-b / 62-b / 63-b / 64-c / 65-a / 66-b /
67-a / 68-c / 69-c / 70-d

VII C

1-a / 2-c / 3-b / 4-b / 5-a / 6-c / 7-c / 8-a / 9-c / 10-b /
11-d / 12-a / 13-c / 14-a / 15-b / 16-d / 17-a / 18-b /
19-c / 20-c / 21-b / 22-b / 23-c / 24-b / 25-c / 26-a /
27-b / 28-b / 29-c / 30-a / 31-b / 32-b / 33-a / 34-b /
35-a / 36-c / 37-b / 38-a / 39-b / 40-a / 41-c / 42-a /
43-b / 44-a / 45-d / 46-c / 47-a / 48-a / 49-d / 50-d /
51-d / 52-d / 53-a / 54-d / 55-d / 56-c / 57-b / 58-a /
59-b / 60-c / 61-c / 62-b / 63-b / 64-b / 65-c / 66-a /
67-b / 68-c / 69-c / 70-d

Indice

Finito di stampare nel mese di gennaio 2006
da Guerra guru s.r.l. - Via A. Manna, 25 - 06132 Perugia
Tel. +39 075 5289090 - Fax +39 075 5288244
E-mail: geinfo@guerra-edizioni.com